un hiver aux arpents

Castor Poche
Collection animée par
François Faucher et Martine Lang

Titre original :

SNOWBOUND AT FORTY-FIVE ACRES

Une production de l'Atelier du Père Castor

ALAN WILDSMITH

un hiver aux arpents

traduit de l'anglais par
ROSE-MARIE VASSALLO

illustrations de
YVES BEAUJARD

Castor Poche Flammarion

Alan Wildsmith, l'auteur, sa femme et leurs quatre enfants, ont vécu plusieurs années au Canada, où se situe cette histoire. Depuis 1970, ils habitent tous les six dans un village près de Cambridge.

« La journée, je suis ingénieur dans une usine d'électronique, et durant mes temps libres, j'écris des histoires... J'avais environ 18 ans quand j'ai commencé à écrire et avec les années, le plaisir que j'y trouve s'est enrichi. Les thèmes de mes livres sont tirés de ma propre expérience. Il est facile d'imaginer une foule d'histoires différentes, mais seules quelques-unes sont assez fortes pour me faire asseoir et m'inciter à écrire. Je souhaite que mes histoires puissent aider les lecteurs à découvrir les richesses qu'ils portent cachées en eux-mêmes. »

Du même auteur traduit en français :

Un été aux Arpents, Castor Poche nº 10 – Flammarion.

Rose-Marie Vassallo, la traductrice, vit en Bretagne, près de la mer, avec son mari et ses quatre enfants, grands dévoreurs de livres.

Entre ses multiples activités, Rose-Marie s'installe devant sa machine à écrire... il en sort des textes publiés dans les Albums du Père Castor et des traductions :

« Lorsqu'on vient de lire un livre et d'y prendre plaisir, dit-elle, on éprouve le désir de le propager. Et l'on s'empresse de le prêter à qui semble pouvoir l'aimer. Mon travail de traductrice ressemble à cette démarche : J'essaie par là, tout simplement, de partager ce qui m'a plu. »

Yves Beaujard, l'illustrateur, a vécu pendant dix ans aux Etats-Unis où il a gravé timbres-poste, billets de banque et portraits officiels des présidents des Etats-Unis.

Revenu en France depuis quelques années, il habite avec sa femme et leurs deux enfants (qui sont bilingues américain-français), près d'Arpajon, un village moderne à l'américaine, où les jardins n'ont pas de barrières. Il partage ses activités graphiques entre l'illustration et la gravure.

Un hiver aux Arpents

« S'il neigeait assez fort, qui sait? Peut-être fermerait-on l'école, pour un jour ou deux, le temps que passent les chasse-neige? » Le souhait de John se réalise, les cars scolaires ramènent chez eux les écoliers plus tôt que prévu, ce jour-là. Mais John va bientôt le regretter...

John, David et Paula trouvent la maison vide. Les routes sont bloquées, leurs parents sont coincés en ville. Pas grave... A ce détail près que les placards sont vides, les parents étant précisément partis faire les courses. Joe l'Indien, qui aide à la ferme des Arpents, part en expédition pour emprunter des vivres aux plus proches voisins, à cinq kilomètres de là. Mais Joe ne revient pas. Une bande de chiens sauvages, poussés par la faim, vient assiéger la maison... Les enfants ont faim, les enfants ont peur. Comment se défendre contre les chiens? Et puis, qu'est-il arrivé à Joe? Comment lui porter secours?

1. Il neige

L'hiver vint tard, cette année-là. Le 14 décembre, pour être précis.

Depuis le matin, le ciel était sombre, et les nuages lourds de neige. On était lundi et je rêvassais, assis dans la bibliothèque, profitant d'un temps mort pour me replonger dans mon rêve favori : celui où il neige tant et tant que l'on doit fermer le collège... Un collège fermé pour cause de neige, dans cette région du Canada où pourtant la neige ne fait pas peur, voilà qui n'est pas chose banale, mais qu'importe! Ce qui n'allait pas être banal non plus, en tout cas, ce serait cet hiver-là – ni pour moi, ni pour quelques autres...

Peut-être est-ce un hasard mais, juste à ce moment-là, comme je jetais un coup d'œil à la fenêtre, je vis les premiers flocons qui tombaient! Ils étaient énormes. Gros comme des assiettes. Ou au moins comme des soucoupes. Enfin, disons... comme les soucoupes d'une dînette. Voilà : c'était comme un service à thé de poupée qui serait tombé du ciel, tout doucement, en flottant dans les airs.

J'osais à peine en croire mes yeux. Voilà que mon souhait était exaucé, sous mes yeux, comme à ma demande! J'en oubliai d'un coup la pancarte SILENCE! et hurlai bien haut ma joie :

– Ouais! Youpiii! Il neige!

Toutes les têtes se relevèrent et se tournèrent vers moi.

– Il neige? Tiens, ça alors! ironisa l'une. Quel événement! Quelle rareté!... Je ne sais pas si tu es au courant, mais ici, on est dans une zone d'enneigement, eh, pauvre cruche!

Cette tête était celle de Melvin, qui n'est pas précisément mon meilleur ami.

Je fis la sourde oreille et m'approchai plutôt de la fenêtre, pour contempler la neige. Elle tombait si dru qu'on n'y voyait pas à l'autre bout de la cour. Mais ce que je voyais là-bas, moi, c'étaient nos chers *Arpents,* tout blancs, éblouissants d'une neige épaisse et molle, idéale pour bâtir des igloos et des forteresses, et pour se balader sur des raquettes à travers bois.

C'est dans ma tête, bien sûr, que je voyais tout cela. *Les Arpents* *, c'est là où j'habite, avec ma famille, dans une vieille ferme en pleine cambrousse. Il y a des tas d'arbres, une crête de hauts rochers qui traverse la propriété, sans compter un ruisseau qui ne tarderait pas à être pris par la glace.

Quelques minutes plus tard, voilà ce brave Pousse-Coude qui entre dans la bibliothèque.

– Eh bien, les enfants, vous en avez de la chance! Pour aujourd'hui, l'école est terminée, à cause de la neige. Les cars seront ici dans quelques minutes, alors

* Cf. : *Un été aux Arpents.* Castor Poche N° 10.

dépêchez-vous de prendre vos manteaux et de sortir!

Je ne pus retenir un hourra bien senti, qui m'attira aussitôt les foudres de Pousse-Coude :

– Pas de quoi se réjouir si fort, Clancy. La classe reprend dès demain matin, le temps de laisser passer les chasse-neige.

Là, il se trompait lourdement, mais il ne pouvait pas le savoir. Aucun de nous ne s'en doutait encore, mais il allait s'écouler plusieurs semaines avant que nous ne retournions à l'école, et des tas d'événements m'attendaient avant que je me retrouve assis en classe.

Dans toute l'école, les lampes étaient allumées, tant il faisait sombre au-dehors. Chacun empoigna son manteau et rejoignit dans le couloir le mouvement général. Il se faisait là un joyeux tohu-bohu, et je me hissai sur la pointe des pieds pour essayer de repérer David et Paula. David, c'est mon grand frère; il a deux ans de plus que moi. Il est du genre perche, et pas plus épais qu'une tranche de bacon. Quant à Paula, ma sœur, elle a un an de moins que moi; de l'avis général, c'est le cerveau de la famille.

Mais je ne vis ni l'un ni l'autre, et renonçai à me casser la tête à leur sujet. Tout ce que contenait le couloir venait de se mettre en branle lentement, d'une seule masse, comme une boîte de sardines. Je me remis sur la pointe des pieds et, le dos rond, me laissai soulever par ce magma en déplacement. Mes pieds ne touchaient plus le sol! Terrible. J'avançais sans effort, tout simplement porté par la foule. Sensation unique! Plus agréable, en tout cas, que de se faire écraser les orteils.

Je me laissai porter de la sorte jusqu'aux marches, avant de reprendre contact avec le sol. Et voilà! nous nous retrouvions dehors, l'école fermait, juste comme dans mon rêve préféré. « J'ai peut-être des dons de voyance? pensai-je. John Clancy, voyant extra-lucide... » Peut-être que je pouvais donner une réalité à tout ce que je désirais, à condition d'y penser très fort? Tiens, ça ne serait pas détestable! J'arriverais peut-être à faire tomber Pousse-Coude d'une chute fatale qui lui romprait le cou? Non – je me radoucis –, je lui ferais plutôt se casser la clavicule.

La neige, pendant ce temps-là, me saupoudrait copieusement. Je fermai les yeux et renversai la tête pour mieux recevoir les flocons sur mon visage. Ils se posaient sur moi, doux et silencieux, avant de se transformer en gouttelettes au bout d'une seconde ou deux.

Une boule de neige sur la tête me tira de ma rêverie :

– Alors, John, tu arrives? Les cars sont là! me criait une voix de fille.

De la neige plein les yeux, je n'y voyais pas clair, mais je n'avais pas besoin d'y voir pour comprendre que c'était Paula. Elle traversait l'accotement (c'était de l'herbe, mais il fallait le savoir) en direction du dernier des bus jaunes alignés au bord de la route, en train de faire le plein d'élèves.

Je montai le dernier. David, comme d'habitude, s'était octroyé la meilleure place, la banquette du fond, avec deux de ses compères. Paula était à l'avant, avec son amie Michelle. Mais je vis Tigger m'adresser de grands signes.

Je me laissai tomber sur le siège qu'il m'avait réservé.

– Un coup de veine, tu ne trouves pas? dit-il, comme le car s'ébranlait avec son hoquet habituel.

– Ça, tu peux le dire! Pouvait pas tomber mieux : une heure de Pousse-Coude en moins, et la ration de devoirs de maths passe à l'as!

– Tu n'as pas l'air de l'aimer, Pousse-Coude!

– Étant donné que lui ne peut pas me sentir...

Je mis Tigger dans le secret de mes dons de sorcellerie et de mon intention d'amener Pousse-Coude à se casser la clavicule; toute notre conversation roula sur la chance que ce serait d'être réellement doué de pouvoirs magiques, jusqu'à l'arrêt où descendait Tigger. Des quantités d'autres élèves descendaient là, puis à l'arrêt suivant, après quoi il ne restait plus dans le car que David, Paula et moi. Et puis Danny, bien entendu, c'est le chauffeur!

Près de quarante kilomètres séparent notre maison de l'école. C'est nous qui habitons le plus loin. Ce trajet, d'ordinaire, prend à peu près trois quarts d'heure, mais ce serait plus long, cette fois. La neige tombait si dru que Danny n'avait guère de visibilité devant lui. Son véhicule, pour le moment, escaladait une côte en crissant et grinçant, à vitesse très réduite pour éviter de déraper. J'allai m'asseoir au fond, à côté de David, pour regarder par la vitre arrière. Nous roulions encore plein nord, et il n'y avait, sur la route, pratiquement pas d'autre véhicule que nous, rien qui vînt gâter les belles traces profondes que laissaient dans la neige les roues de notre car.

– J'ai dit à Danny de nous laisser à l'entrée du petit chemin, dit Paula en nous rejoignant.

– Mais qu'est-ce qui t'a pris de demander ça? s'indigna aussitôt David, en prenant ses grands airs de « c'est moi l'aîné ici ». Tu aurais pu nous demander notre avis, tout de même!

Les Arpents sont situés sur une petite route à l'écart de la grande, et nous aurions à parcourir à pied quelque seize cents mètres et des poussières.

– Je savais que ça vous serait égal, dit Paula. Et il neige tellement que Danny ne pourrait peut-être même pas repartir, s'il nous conduisait jusqu'au bout.

– C'est très bien comme ça, dis-je. Ça va être amusant de marcher dans cette neige.

– Et si, justement, ça ne nous avait pas été égal? s'entêta David.

– Ne fais donc pas l'idiot. Je savais que vous le voudriez bien. D'ailleurs, si ça se trouve, Papa et Maman nous prendront au passage...

– Faut pas compter là-dessus, grogna David.

Il me faisait rire, avec sa mine renfrognée. Comme si ça ne crevait pas les yeux que ce qui lui déplaisait, en réalité, c'était que Paula eût pris cette décision sans le consulter! Il estimait qu'elle aurait dû lui en parler d'abord.

– Non, reprit-il, c'est hors de question : tu penses bien que Papa et Maman se sont dépêchés de rentrer à la maison avant que la neige soit trop épaisse!

Et puis, qu'as-tu à rire comme ça, toi, 'spèce d'andouille?
– Écoute, tu rirais, toi aussi, si tu venais de t'apercevoir, comme moi, que tu as des dons de médium! Tu ferais mieux de me dire merci, tiens, parce que, si je n'avais pas fait neiger, tu serais encore à l'école à l'heure qu'il est.
– Réfléchis un peu, David! dit Paula. Je t'assure qu'au contraire il y a de grandes chances pour que Papa et Maman nous prennent au passage. Parce que, même s'ils se sont mis en route dès qu'ils ont vu qu'il neigeait, ils ne sont sûrement pas encore à la maison.

Ce jour-là, Papa et Maman devaient aller à Toronto pour faire des courses en prévision de Noël. Ils devaient reprendre Anne à son école, sur leur trajet. Anne est la petite dernière. Elle a bien de la chance, elle ne va à l'école que le matin. Et, qui plus est, elle aime l'école!

Le car roulait de plus en plus lentement, et il me suffit de jeter un coup d'œil dehors, après avoir essuyé la buée, pour comprendre aussitôt pourquoi. Il neigeait si fort que c'est à peine si je voyais les arbres du bord de la route.

Paula était repartie vers l'avant pour rejoindre Danny. Je l'y suivis, David sur les talons. Il faisait meilleur, à l'avant, grâce aux bouches d'aération et de chauffage qui nous insufflaient un air aussi bruyant que chaud. Deux grands essuie-glace s'affairaient à balayer le pare-brise mais, aussitôt après chaque passage, les flocons de neige écrasée réapparaissaient comme par enchantement.

C'était fascinant à regarder, mais détestable pour le conducteur, probablement. La route, devant nous, disparaissait derrière un tourbillon blanc infernal, et l'on n'y voyait pas à plus de dix mètres. Danny n'avait, pour se guider, et pour deviner où était la route, que le repère des arbres et des poteaux téléphoniques. Il maintenait son véhicule entre les deux alignements, bien au milieu.

– Et si quelqu'un arrivait en face, Danny? voulut savoir Paula.

– Je préfère ne pas y penser, dit-il. Nous serions coincés tous les deux!

Il se pencha sur son tableau de bord et alluma la radio, recherchant la station locale à travers la cacophonie des divers émetteurs. De la musique pop surgit enfin, puis, le disque terminé, l'animateur de l'émission se mit à parler de la tempête de neige qui venait de s'abattre sur la région et que la météo n'avait pas su prévoir. Les chasse-neige, disait-il, étaient d'ores et déjà tous en action, pour libérer les villes et les principales voies de communication. Puis il donna la

liste des routes fermées à la circulation. Celle sur laquelle nous nous trouvions en faisait partie.

– La route qui conduit chez vous est à environ trois kilomètres, dit Danny. Je ferai mon demi-tour là-bas. Mais vous, qu'allez-vous faire? Je vous propose de vous ramener en ville avec moi, je pourrai vous loger. Ou bien vous allez à pied jusque chez vous. Mais ça va vous faire une sacrée trotte, dans cette neige... C'est comme vous voulez.

– Merci, dit David. Vous êtes bien gentil, mais nous préférons marcher et rentrer chez nous. Pas de problème.

– C'est une belle trotte, répéta Danny. Mais, d'un autre côté, vous êtes assez grands pour ça, et on ne peut pas savoir quand les chasse-neige pourront passer dans le secteur pour déblayer cette cambrousse.

Le car renâclait en mordant dans la neige. Je sentis tout à coup comme une sorte d'humidité contre ma hanche. Je mis la main dans ma poche, pour y retrouver ce qui restait de la boule de neige (oubliée!) que j'y avais fourrée avant d'embarquer. Je déversai le résidu sur le plancher du car. L'heure n'était plus aux farces... Danny fit rétrograder les vitesses, s'arrêta juste après le carrefour et exécuta une lente marche arrière, afin de mettre son véhicule dans la direction du retour.

– Alors, sûr et certain, vous ne voulez pas redescendre en ville avec moi?

– Non, dit joyeusement Paula. Nous faisons le reste à pied!

– Entendu, dit-il en s'extrayant de derrière son volant. Mais attendez un peu ici, au chaud. Il faut que j'aille voir à l'arrière, je crois que j'ai des raquettes quelque part...

Il appuya sur un bouton et, dans un chuintement, la porte à soufflet pneumatique s'ouvrit. Au bout d'une minute il revint, muni d'une vieille paire de raquettes. Elles étaient d'un modèle ancien, dans le style pattes d'ours et presque rondes, ressemblant à des raquettes de tennis dont on aurait scié le manche. Des raquettes pour la neige, justement, je comptais bien en recevoir pour Noël, avec un peu de chance, mais plutôt de style sport : étroites, avec l'avant relevé.

– Et voilà! C'est une vieille paire qui me sert pour aller à la chasse. Malheureusement, je n'ai que celles-ci. Deux d'entre vous devront se débrouiller sans ça.

David les prit et les tendit à Paula, grand prince. Il ne prit même pas la peine de me les proposer à moi. Danny les ajusta sur les bottes de Paula, puis il la souleva pour lui faire sauter les marches et la déposer dans la neige. Nous la

suivîmes et Danny remonta au volant.
– Allez, bon courage! nous cria-t-il avec un signe de la main.

La porte chuinta en se refermant, le bus s'ébranla lentement et disparut bientôt dans la blancheur tourbillonnante. Nous étions seuls.

2. Les placards vides

Mes pieds s'enfonçaient dans la neige, qui se tassait sous mes semelles avec un crissement.

Il y en avait déjà au moins vingt bons centimètres, et il en tombait toujours. Les arbres étaient tout blancs et les flocons, autour de nous, tournoyaient en vrille, emplissant tout l'espace comme s'ils cherchaient à nous emprisonner dans un cocon géant. Le plus étrange, c'était le silence total dans lequel cela s'accomplissait. Tous ces mouvements, ces tourbillons dans tous les sens, paraissaient devoir s'accompagner de vacarme. Au contraire, pas un son! Seulement les bruits que nous faisions.

De se voir patauger sur ses raquettes d'emprunt, avec la grâce d'un pingouin trop grand, Paula venait d'attraper un fou rire. Pourtant, elle s'enfonçait bien moins que nous. En fait, elle ne s'enfonçait pratiquement pas.

– J'ai l'impression d'être un pingouin! dit-elle en se collant les bras au corps et en se dandinant un peu plus.

– Et tu donnes l'impression d'en être un! lui dis-je en lui lançant une boule de neige.

Je la manquai, mais touchai David, et ce fut le début d'une belle bataille jusqu'à ce que Paula et lui, s'unissant contre moi, eussent réussi à m'ensevelir à moitié sous la neige.

Nous avions quitté l'école à deux heures et demie; à quatre heures passées nous n'avions toujours pas atteint le sentier qui menait à la maison. Il commençait à faire sombre et il neigeait toujours. L'épaisseur de la neige au sol devait bien atteindre vingt-cinq centimètres, à présent, et le vent, qui venait de se lever, formait par endroits, déjà, des amas plus épais encore.

– Dis, David, demanda Paula, tu ne crois pas que nous avons dépassé l'entrée du sentier?

Elle commençait à s'inquiéter, c'était visible, et peut-être même à prendre peur pour de bon. Et pourtant, sur ses raquettes, elle avait la partie belle, alors que David et moi ne progressions qu'à grand-peine. Nous avions même des difficultés, par moments, pour garder notre équilibre.

– Mais non, voyons! dit David. Tu peux être sûre que j'ai l'œil, et que je ne laisserai pas passer la petite trouée entre les arbres qui doit se trouver quelque part par là.

Les yeux me faisaient mal à force de scruter à travers cette neige drue, et je n'arrêtais pas d'essuyer sur mon visage les flocons qui s'y accrochaient. Une douleur cuisante me raidissait les muscles des jambes chaque fois que je soulevais le pied, comme pour me rappeler brutalement que la neige n'est pas seulement une chose amicale et faite pour le jeu, mais qu'elle entend aussi qu'on la respecte.

– Oh! on s'arrête un peu? suppliai-je. Je n'en peux plus.
– Non, dit David, il vaudrait mieux pas. On continue. Il n'y en a plus pour longtemps.

Je lui jetai un coup d'œil, ainsi qu'à Paula, et je ne pus me retenir de rire.
– Dites, vous savez à quoi vous ressemblez?... A des bonshommes de neige en mouvement! leur dis-je. L'abominable homme des neiges a encore frappé!
– Eh, regardez! cria David, l'index braqué droit devant nous. Voilà! C'est là qu'il faut tourner!

C'était un soulagement que de reconnaître la trouée entre les arbres, mais il nous restait encore un bon bout de chemin à faire. En temps ordinaire, cette distance se laissait franchir en un rien de temps, mais malheureusement nous n'étions pas en temps ordinaire. Et mes jambes me faisaient rudement mal.
– Je t'assure, David, répétai-je. Moi, il faut que je me repose un peu. Mes jambes me tuent.
– Bon, d'accord, dit-il. Nous allons nous mettre à l'abri des arbres un petit

moment. De toute manière, maintenant, ce n'est pas grave. Nous savons où nous sommes. Et puis, n'importe comment, nous ne seront pas à la maison avant la tombée de la nuit.

Nous suivîmes Paula un peu plus avant sur le sentier, puis sous les arbres, en bordure de la forêt.

– Ne nous enfonçons pas trop par là, dit Paula. Si jamais nous nous perdions là-dedans, nous ne pourrions plus nous y retrouver!

Je m'assis dans la neige, le dos contre un grand pin, avec un grognement d'aise. Les jambes me faisaient mal, depuis les orteils jusqu'aux cuisses, et j'avais des élancements dans les muscles.

– Mon pauvre John, constata David, tu n'as pas l'air de tenir la grande forme!

Mais je remarquai bien, quant à moi, que lui-même n'avait pas traîné pour s'asseoir. Seule Paula ne semblait pas trop fatiguée.

Notre petite halte ne dura que le temps qu'il fallut au froid pour trouver son chemin à travers nos vêtements. Le jour baissait de minute en minute, et un long frisson me parcourut l'échine, qui n'était pas dû seulement à l'air glacé : la perspective de se retrouver perdu dans le noir par une nuit pareille n'avait rien de bien chaleureux.

– Comment allons-nous faire pour suivre le sentier? Nous ne voyons même pas où il va!

– Ben, c'est facile! s'écria gaiement Paula. Quand on se cogne dans un arbre, ça veut dire qu'on quitte le sentier!

Nous nous encordâmes en nous donnant la main et Paula, au milieu, comptait ses pas à voix haute. Nous nous trouvions, d'après David, à quinze cents pas de la maison.

Au bout de sept cents pas, j'étais déjà bon pour une nouvelle halte, mais David refusa net. Pas avant le millième pas, dit-il. Bien sûr, à la queue, il ne risquait pas de rentrer dans un tronc.

Une lumière jaillit soudain, droit devant nous; une voix lança un appel, du fond des ténèbres.

– Joe! hurlai-je, fou de joie. Joe! Veine, alors!

C'était Joe l'Indien, Joe notre ami, Joe

qui nous aide à la ferme. Il était drôlement bien emmitouflé, boutonné jusqu'au menton, avec son bonnet de fourrure rabattu sur les oreilles.

– Eh bien, Joe, tu tombes à pic! Pas fâché de te revoir!

– Mais qui t'a dit que nous étions là? demanda Paula.

– Votre chauffeur de car. Il a téléphoné. Il a dit qu'il vous avait déposés au carrefour.

– En tout cas, tu arrives à point! Moi, j'étais prêt à me coucher dans la neige et à mourir là, tant pis!

– Ouais, justement, dit Joe. C'est bien ce que je me suis dit : ils sont fichus de se perdre! Vous autres, petits Blancs, vous manquez un peu de trempe...

A son accent moqueur, je devinais qu'il riait en le disant.

– Ouais, ouais, répliquai-je. Mais vous autres Indiens, ce que vous avez, surtout, ce sont de bonnes raquettes. Je ne sais pas où en serait ta bonne trempe si tu avais dû patauger sur près de deux kilomètres, par ce temps, avec tes bottes.

– Pfft!... s'écria Joe en riant, ça ne me

ferait pas peur! Bon. Votre mère a téléphoné, il y a déjà un bout de temps. Ils sont bloqués quelque part, du côté d'Orangeville, et ils ont réservé une chambre dans un motel pour la nuit.
– Tiens, tiens! Ils devaient nous « prendre au passage », n'est-ce pas, Paula? ironisa David. Quand je te disais qu'il n'y avait aucune chance, hein?
– Allons, les enfants! dit Joe. En route!

Je ne me réveillai qu'au matin. Un franc rayon de soleil entrait dans la chambre par la moitié supérieure de la fenêtre; tout le bas était obscurci par de la neige amoncelée sur le rebord, jusqu'au milieu des vitres.

Je me dressai debout sur mon lit pour regarder dehors et faillis bien tomber à la renverse, tant c'était éblouissant. Quelle vision! Les arbres chargés de neige se dressaient, majestueux, sur un épais tapis étincelant. La crête de rochers n'était plus qu'une immense ondulation, une dune de neige. C'était comme une vague géante, prête à déferler sur la maison. Tout était blanc, d'un blanc très pur, du blanc le plus blanc que j'aie vu de ma vie. Je fis ma toilette et m'habillai en un temps record, puis je me ruai au bas de l'escalier. La longue épopée de la veille au soir ne m'avait laissé ni fatigue ni courbatures, mais une terrible faim au ventre. J'étais plus affamé qu'un ours!

Les fenêtres du rez-de-chaussée laissaient passer encore un peu moins de lumière qu'à l'étage. Je voulus allumer, mais rien ne se passa quand j'appuyai sur l'interrupteur.

– La barbe! grommelai-je. L'ampoule est grillée!

– Non, elle n'est pas grillée, dit une voix. Mais il n'y a pas de courant. La ligne doit être coupée.

C'était David, assis dans la pénombre, à la table de la cuisine, et fort occupé à récupérer les dernières bribes de beurre de cacahuètes d'un pot qui m'avait tout l'air vide.

Paula était déjà levée, elle aussi. En anorak et pantalon de ski, elle était en train d'attacher les raquettes à ses bottes.

– Salut, vous deux! leur dis-je d'une voix pleine d'entrain.
– Salut, toi! dit Paula.

David ne répondit pas, si ce n'est par un coup d'œil renfrogné.

– Je vais aider Joe à donner à manger aux cochons, dit Paula. Tu viens avec moi?
– Quand j'aurai mangé, lui dis-je en ouvrant le frigo pour y prendre des œufs.

Pas d'œufs.

– Allons, bon! marmonnai-je. Je crois que je vais prendre un sandwich au bacon, alors.

Pas de bacon.

« Voyons, John, me dis-je, ce ne sont pas des œufs ni du bacon que tu voulais en réalité. Plutôt une bonne assiettée de tomates fricassées. »

Mais il n'y avait pas une tomate.

Je pris le temps de réfléchir. David et Paula m'observaient, David avec un regard d'aigle – d'aigle affamé.

– J'y suis! m'écriai-je triomphalement. Ce qui me tente le plus, c'est des haricots sur du pain grillé.

J'ouvris le placard tout grand. Pas de haricots. Ce constat me choqua. Quoi? Pas de haricots? Mais nous en avions toujours en réserve! J'explorai fébrilement toutes les étagères. Pas de haricots. Pas de *corn-flakes.* Pas de boîtes de tomates. Pas la plus petite boîte de quoi que ce soit, excepté sept boîtes de petits pois. Sans doute une bonne affaire de Papa, un jour qu'il faisait les courses et que les pois étaient en réclame; personne ne les aime à la maison!

Paula était hilare et David avait peine à se retenir de rire. Mais moi je ne me sentais pas d'humeur à rire, ça, non! Mon estomac se creusait de seconde en seconde.

– Parfait, dis-je sur un ton de défi. Je vais me faire des pommes de terre frites.

David partit d'un grand éclat de rire quand il me vit revenir du cellier. Une pomme de terre – et pas une grosse –, voilà tout ce que j'avais trouvé!

– Tu sais bien que Maman devait justement faire les provisions hier, me dit Paula. Et elle n'est pas rentrée. Il n'y a plus rien à manger dans cette maison.

Et cela me revint. Nous faisions d'ordinaire les courses alimentaires à la fin de chaque mois. Mais Maman, cette fois-ci, avait différé l'approvisionnement, parce qu'elle voulait faire en même temps ses achats de Noël. Si bien que nous avions deux semaines de retard pour les vivres.

Pas d'électricité, rien à se mettre sous la dent (pas même un haricot), c'était gai!

– Allons, viens donc! me dit Paula, dans l'espoir de me redonner de l'entrain. Tu n'as qu'à venir avec nous pour nourrir les cochons. Il n'y a pas de raison pour qu'ils jeûnent, eux!

– Et puis, suggéra David, tu pourras toujours prélever sur leur part pour ton petit déjeuner, va!

– Mais oui, au fait! m'écriai-je. Tu me donnes une idée! Du bacon et du jambon, ce n'est pas ce qui manque : il en court partout, dans l'arrière-cour!

– Ne dis pas ça, John, tu me dégoûtes, dit Paula. Moi, j'aimerais mieux mourir de faim plutôt que de manger un de nos mignons petits cochons!

– Mourir de faim? J'aimerais voir ça! dit David avec une lueur de férocité dans les yeux. Tu peux être sûre que si Maman ne revient pas aujourd'hui avec de quoi croûter, ton petit Henry ne tardera pas à passer à la casserole!

Paula se raidit, la mine vengeresse. Elle croyait que David parlait sérieusement.

– Tu vois bien qu'il te fait marcher, m'empressai-je de lui dire. Ouste! Allons aider Joe. Laisse-moi seulement une petite minute, le temps de retrouver mes moufles, un pull de rab et des trucs comme ça.

3. Le Clancy-Express

Vingt minutes plus tard, je cherchais encore mes moufles et je me sentais proche de l'ébullition. Papa disait toujours que je n'y voyais pas plus loin que le bout de mon nez, et il n'avait sans doute pas tort. Je dressai mon index juste en face de mon nez et le rapprochai doucement, jusqu'à quinze centimètres, jusqu'à loucher franchement. « Ouais..., j'ai peut-être un grand nez, mais pas si long que ça... » Puis je me secouai moralement et repris mes recherches dans le placard. Elles étaient bien là, pour finir, bien sûr, blotties au fond d'une boîte sur l'une des étagères.

Les enfants qui se croient malheureux parce qu'ils n'ont pas la chance d'avoir un bel hiver comme le nôtre, avec des tonnes de neige et tout l'équipement qu'il faut pour vivre avec, ces enfants-là se plaindraient peut-être moins s'ils savaient ce que c'est que de s'accoutrer pour affronter le froid, et plus encore d'avoir à retrouver cet accoutrement lorsqu'on en a besoin! Sans compter que, lorsqu'on grandit, l'équipement, lui, ne grandit pas. Mes pulls, par exemple, étaient devenus bien étroits, et mes moufles étaient bonnes pour Paula.

Pour mes bottes, par bonheur, je n'avais pas le même problème. Je savais parfaitement où elles étaient, et elles m'allaient comme un gant. Enfin, c'est une façon de parler, assez idiote quand on y pense. Je ne vois pas qui se mettrait un gant aux pieds. Mais j'avais mieux à faire que de perdre mon temps à des réflexions pareilles et, une fois chaussé, je sortis résolument.

Eh bien! C'était comme de s'avancer en plein brasier. Pas pour la température, bien sûr. Au contraire, il faisait si froid que mon haleine gelait instantanément. Mais pour l'aveuglement insensé que provoquait la lumière. J'en poussai un jappement de chiot. La neige était d'un blanc tellement puissant que ce n'était même plus une couleur, c'était de la lumière pure comme celle d'un diamant, qui jaillissait de partout, des arbres comme du sol.

Je clignai prudemment les paupières pour que mes yeux s'habituent petit à petit et qu'enfin mon regard s'adapte à l'intensité de la lumière.

– Fufffiii! sifflai-je.

Il avait dû neiger encore durant la nuit; il semblait y avoir maintenant presque un mètre de neige sur le sol, sans compter les endroits où s'étaient amoncelées des congères. Les arbres étaient une merveille. On les sentait lourds de neige, et leurs branches chargées se courbaient sous ce poids. La balançoire et le toboggan que nous avions installés cet été, sous l'érable, avaient tout bonnement disparu sous un amas de blancheur.

Je me souvenais d'avoir entendu Papa dire que *Les Arpents* se trouvaient dans une « zone d'enneigement intensif », sans vraiment comprendre ce que cela pouvait signifier. Je commençais à m'en faire une idée. Et ce n'était que le début!

– Youpii!

La pensée me venait soudain que nous n'irions pas à l'école. Ni aujourd'hui, ni sans doute demain. Ni peut-être pendant des semaines. Ou des mois, pourquoi pas? Plus de Pousse-Coude! Plus de maths!

Je me mis à faire dans la neige toute une série de bonds d'allégresse. Au fond, Pousse-Coude aussi avait de la veine. Cette zone d'enneigement, il pouvait la bénir! Elle lui valait d'échapper à une fracture de la clavicule, qu'un puissant médium voulait lui infliger!

M'étant enfin extrait du petit cratère que ma joie explosive avait creusé dans la neige, je me dirigeai vers la porcherie. C'était un bâtiment en cours de construction, dont Papa et Joe n'avaient vraiment achevé que la charpente. Il n'y avait encore de toit que sur un tiers de la longueur; cette partie-là était fermée par un mur provisoire. Ce serait gigantesque, une fois terminé; mais il restait encore beaucoup à faire.

Je suivis lentement les traces de pas de Paula. C'était à peine, grâce à ses raquettes, si elle avait marqué la neige, alors que moi j'enfonçais jusqu'aux genoux, ou presque. Relever le pied, le poser sur la neige, enfoncer. Relever le pied, le poser sur la neige, enfoncer. Relever le pied...

Il me fallut une éternité pour gagner cette porcherie. Oh! bien sûr, rien ne pressait : mieux valait une éternité ici qu'une éternité sur les bancs de la classe de maths.

– Hé! Paula! criai-je de loin. Plus d'école jusqu'à l'été!

Elle était perchée sur la clôture qui entoure l'enclos des cochons, occupée à se balancer sur ses raquettes, bien calées entre deux lisses. Elle se retourna vers moi.

– Ah! te voilà? Tu en as mis du temps! Qu'est-ce que tu faisais?

– Cherchais mes moufles...

Puis je me lançai, fébrile, sur l'exaltant sujet de la « zone d'enneigement intense » et sur les avantages qu'elle pouvait présenter pour nous autres écoliers.

– Ne dis donc pas de bêtises, commenta Paula lorsque j'eus terminé. Tu penses bien qu'il ne peut pas neiger tant que ça. Et puis d'abord, moi, je ne veux pas manquer l'école tout ce temps-là. Je n'ai aucune envie de devenir un cancre comme toi!

Il n'y avait pas d'autre réponse possible que les arguments frappants, mais Joe surgit, une pelle sur l'épaule, un peu trop tôt. Une troupe de cochons, derrière lui, grognait, couinait et reniflait assidûment la litière fraîche qu'il venait de leur mettre.

Nous avions deux porcs adultes, Georges et Mathilda, et treize porcelets roses qui n'avaient pas encore reçu de nom, à l'exception du dénommé Henry. Il faut dire que celui-là, avec ses taches noires un peu partout, se distinguait vraiment du lot!

En dehors de ces cochons, nous n'avions pas encore d'animaux, mais nos projets d'agrandissement de la ferme comprenaient des poules, des vaches, et même un cheval ou deux. Évidemment, le gros bétail, ce n'était pas pour demain, vu le travail qu'il restait à fournir : défricher le terrain, le planter, terminer la grange et ainsi de suite. Nous y avions travaillé dur, tout l'été et tout l'automne, mais, comme Papa le disait souvent, jamais, sans l'aide de Joe, nous n'aurions pu affronter notre premier hiver aux *Arpents.*

– Salut! lui dis-je, comme il sortait de la porcherie.

– Salut, petit Blanc! dit-il. (Il m'appelait toujours ainsi quand il faisait semblant de m'en vouloir.) Et alors, d'où sors-tu? Je croyais que tu devais venir m'aider à soigner les cochons?

– Oui, je devais venir, mais mes moufles n'étaient pas d'accord. Tiens, donne donc, que je porte cette pelle.

Joe me tendit la pelle par-dessus la clôture et Paula, en un éclair, comprit ce que j'allais en faire.

– Ah, ah! ma fille, dis-je avec un large sourire, ainsi tu ne veux pas devenir un cancre comme moi? Ah, ah!

Elle quitta son perchoir, mais ne fut pas assez preste. L'arrière de ses raquettes s'était mis en croix et je profitai de ce qu'elle se débattait avec pour l'asperger de neige à grands coups de pelle.

Crac! Elle avait enfin un pied de libre, mais l'autre était toujours coincé entre deux lisses de la clôture. Les raquettes n'étaient pas de la première jeunesse, le bois du cadre devait être un peu sec, et il finit par céder dans la bagarre. La seconde raquette rendit l'âme et Paula dégringola à la renverse dans la neige.

– Là! Voilà! s'écria-t-elle, furieuse. Tu as gagné!

Elle s'assit, se débarbouilla de la neige qui la transformait en clown et reprit de plus belle :

– Tu as vu ce que tu m'as fait faire?

– Tu veux dire : ce que *toi* tu as fait? Ne t'en fais pas. Je te recollerai ça.

– Ouais! Et puis tu pourras aussi en payer une paire neuve à Danny!

Joe jugea opportun d'intervenir.

– Suffit! dit-il en élevant les deux mains. C'est vos parents qui décideront qui doit payer. Maintenant que les cochons ont mangé, on rentre.

Le seul mot de « manger » réveilla mon estomac vide.

– Dans combien de temps penses-tu qu'ils auront déblayé la route? demandai-je à Joe.

Il haussa les épaules.

– Ça dépend, dit-il. Ça peut être fait demain, comme ça peut prendre trois jours. Tout dépend du vent, et s'il neigera encore ou non.

– Mais alors? s'inquiéta Paula, qui boitillait sur sa raquette cassée. Comment va-t-on faire, pour manger?

Je me lamentai aussi. La perspective de trois jours de jeûne me faisait frémir d'horreur.

– Et moi qui meurs déjà de faim!

– Comment ça? dit Joe. Il n'y a plus de provisions?

– Pas la plus petite boîte de haricots.

– Dans ce cas, venez donc chez moi, à la cabane, dit Joe. Je vais préparer le petit déjeuner. Allez prévenir David.

David, à la cuisine, était en train de garnir le poêle.

– Maman vient de téléphoner, dit-il avant que nous ayons eu le temps de placer un mot. Tout va bien de leur côté, mais les routes sont toujours bloquées, si bien qu'ils ne savent pas quand ils pourront revenir. Elle a dit de demander à Joe s'il ne pourrait pas descendre jusque chez Brown pour y acheter de quoi manger. J'ai fait une liste de ce qu'il nous faut.

M. Brown était notre plus proche voisin. Sa ferme, à vol d'oiseau, devait être à cinq kilomètres, et à plus de dix par la route.

– Joe en aura pour des siècles, ajouta David, lugubre. Et je tombe déjà d'inanition.

– Tu ne tomberas pas tout à fait! s'écria joyeusement Paula, tout en retirant sa raquette cassée. Joe nous invite à manger chez lui. Il est déjà à la cabane, en train de tout préparer.

David changea d'expression en un éclair. Il jeta dans le poêle sa dernière bûche, et courut chercher son anorak.

– Tu as le numéro de téléphone de

leur motel? demanda Paula. Je voudrais dire à Maman que Joe a de quoi nous faire manger, en attendant, sinon elle va se tracasser toute la journée.
– Tu ne pourras pas la joindre! lui cria David, du couloir. Il a dû se passer quelque chose sur la ligne : en tout cas, on a été coupés!

Pas d'électricité, les routes bloquées par la neige, et voilà que notre dernier lien avec le monde extérieur, le téléphone, venait de nous lâcher à son tour. Apparemment, nous nous retrouvions coupés de tout.

Je ramassai la raquette cassée et cherchai alentour de quoi la réparer. Je me débattais dans ce rafistolage que déjà David et Paula se déclaraient prêts, et impatients d'aller manger enfin.
– Filez devant. Je vous rattraperai.

Je contemplai le résultat de mon travail d'un œil mélancolique. J'avais posé une attelle de bois de chaque côté du cadre cassé, et fixé le tout avec du chatterton. Bien sûr, du fil de fer eût été plus solide. Mais je n'en avais pas trouvé.
– Mouais... Pas jolie jolie, dis-je à la ma-

lade. Mais peut-être que tu tiendras comme ça un bout de temps...

Et j'attachai les raquettes à mes bottes.

Si j'avais pu savoir, alors, que ma vie ne tiendrait bientôt plus qu'à ces raquettes, je crois que j'aurais cherché à faire une réparation plus solide que le roc.

La vieille cabane de rondins était bâtie entre deux rochers, dans une brèche, au milieu de la crête de rocs qui traversait notre terrain d'est en ouest, avant d'aller se perdre, de part et d'autre, dans la forêt de pins, où elle se poursuivait sur des kilomètres. Cette cabane, Papa nous l'avait donnée à nous, les enfants, quand nous étions venus habiter aux *Arpents*. Et nous l'avions laissée à Joe, après un tas d'aventures et d'histoires qui avaient bien failli tourner mal, à la suite d'une petite guerre entre lui et nous. C'était même curieux, quand on y pense, de voir à quel point nous étions devenus bons amis, après des débuts aussi tumultueux!

Je sortis la grande luge du garage et

me mis en route vers la cabane, à grands pas rapides. Les raquettes émettaient un petit bruit étouffé chaque fois qu'elles touchaient la neige, et je rattrapais à vue d'œil David et Paula. Avancer dans la neige, selon que l'on porte ou non des raquettes, c'est inimaginable la différence qu'il peut y avoir! J'avais assez pataugé en bottes pour en savoir quelque chose. Et c'était vite fait de prendre la cadence : il suffit de traîner les pieds, au lieu de chercher à les soulever comme quand on marche normalement.

David et Paula, qui m'avaient vu venir, m'attendaient en faisant les fous.

– En voiture, tout le monde! leur lançai-je en approchant. En voiture sur le Clancy-Express! Vos tickets, s'il vous plaît! Un dollar par personne, les chiens sont interdits, et il est défendu de cracher par terre! Désolé, Ma'ame, dis-je à Paula, mais nous n'acceptons pas les chiens. Veuillez laisser le vôtre ici.

David me balança une pleine poignée de neige, mais il manqua son coup, et il se mit à crier après moi comme après un chien de traîneau, tout en faisant claquer un fouet imaginaire. Dès qu'ils eurent embarqué, je halai le chargement, et notre attelage se mit à filer avec enthousiasme, en direction de la cabane et de ses victuailles.

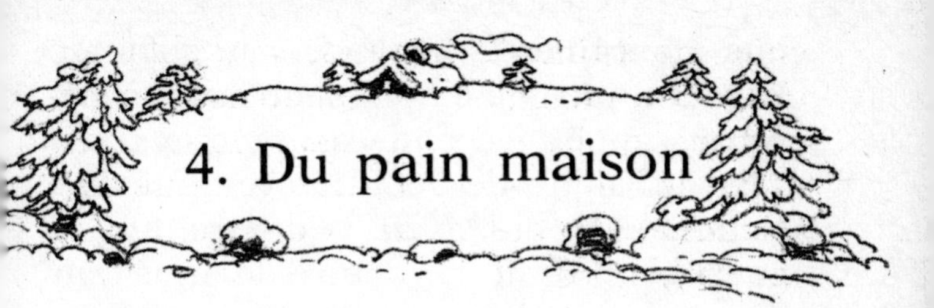

4. Du pain maison

Je m'écartai de la table en repoussant ma chaise, avec un profond soupir de satisfaction, et je laissai mon regard errer à travers la pièce. Le souvenir me revint de la première fois où j'avais rencontré Joe, dans cette cabane; je n'étais pas à l'aise comme aujourd'hui, cette fois-là, je m'en souvenais bien!

Le feu crépitait, et ses flammes jaunes léchaient les bûches avec ardeur. La poêle à frire était posée au-dessus de l'âtre, à bonne distance de la chaleur. Elle était aussi noire que le jour où nous l'avions découverte, et assez grande pour y faire cuire une omelette pour un régiment. C'est pour cette raison d'ailleurs que nous l'avions baptisée « la poêle de Paul Bunyan », en hommage à ce bûcheron à l'appétit légendaire.

La carabine de Joe, une antique Lee Enfield 303 qui avait peut-être fait la guerre, reposait là, contre le mur, sur deux clous. Joe m'avait appris à m'en servir durant l'été. David aussi avait voulu apprendre, mais son ardeur était tombée net le jour où l'engin, à cause du recul, avait failli lui broyer l'épaule. De toute manière, avait-il dit, ça ne l'intéressait pas de tirer sur des animaux. Mais moi non plus je n'avais pas l'intention de tirer sur des animaux! Ce que j'adorais, par contre, c'était viser de vieilles boîtes de conserve; et j'avais passé tout l'été à m'entraîner à ce jeu-là. Joe disait que j'étais doué pour le tir et ces mots-là, venant de lui, valaient pour moi toutes les louanges. Ah! quel bel été ç'avait été!...

– Alors, John? Entendu?

Joe était en train de me parler, et il remuait ses mains sous mon nez pour attirer mon attention.

– Entendu quoi? demandai-je, perplexe.

David prit ses grands airs de supériorité :
– Et voilà! Encore dans la lune! commenta-t-il.
Je répliquai vertement.
– Non, je n'étais pas dans la lune! J'étais seulement en train de penser que Joe ferait un sacré maître queux... Merci, Joe. La même chose pour moi, demain, s'il vous plaît, chef!
– Hé non, précisément! Comme j'étais en train de le dire à l'instant, c'étaient mes dernières provisions. Et je vous demandais si vous seriez capables de rester sages, et de vous débrouiller seuls, en attendant que je sois de retour de chez Brown.
– Cette idée! Bien sûr... Mais... Je peux venir avec toi?
Joe désigna la fenêtre du doigt. Le ciel, derrière les arbres, se chargeait de nuages noirs. Il n'était pas encore midi et il faisait déjà sombre. Adieu, le beau ciel bleu et le soleil étincelant des premières heures de la matinée!
– J'irai beaucoup plus vite si j'y vais seul, dit Joe. J'ai l'intention d'être de retour

avant la tombée de la nuit, et il va neiger encore aujourd'hui...

Il enfila son épaisse veste à carreaux et boutonna sous son menton son bonnet de trappeur.

– Peut-être qu'il ne neigera pas avant *notre* retour? soufflai-je, encore plein d'espoir.

Joe prit son masque impassible d'Indien et sa voix de vieux sage.

– Indiens mieux savoir que toi choses du ciel, petit Blanc. Visages pâles rien savoir. Peaux-Rouges deviner tout.

Mes yeux tombèrent, à ce moment, sur le petit transistor qui trônait derrière lui, sur une étagère. J'éclatai de rire :

– Oui oui, dis-je en pouffant, Peaux-Rouges avoir grandes bonnes oreilles, meilleures que Visages pâles. Savoir écouter prévisions météo!

Joe partit d'un grand rire. Il riait encore en sortant, un grand sac vide sur le dos.

Je le regardai s'éloigner, par la fenêtre, et disparaître derrière les arbres. D'après la direction qu'il avait prise, je pouvais déduire qu'il allait prendre le chemin le

plus court, à travers bois et à travers champs, et l'idée me vint que ce n'était peut-être pas très prudent de sa part. Traverser les bois de pins était une chose facile, mais il y manquait tout repère sur lequel se guider, du moins à ma connaissance. Puis je réfléchis, et songeai que Joe, après tout, avait grandi dans une réserve, au sein d'une nature sauvage, bien différente des banlieues que moi j'avais connues jusqu'ici. « Il a passé toute sa vie dans les bois, me dis-je. Aucune crainte pour lui, il sait ce qu'il fait, c'est sûr. »

Je quittai la fenêtre, pour aider David et Paula à débarrasser la table. Paula fit la vaisselle tandis que nous rentrions une provision de bûches.

L'ouvrage ne manqua pas, durant les heures qui suivirent. Débarrasser les fenêtres de la neige qui les obstruait, déblayer un chemin en direction du garage, un autre en direction de la réserve à bois, ces tâches apparemment simples nous occupèrent un bon bout de temps. Paula commença par nous aider, puis disparut dans la maison

pour quelque mission mystérieuse.
– Vous verrez, vous serez bien contents! avait-elle promis à David, qui protestait de la voir quitter le chantier.

Lorsque nous eûmes terminé, on n'y voyait plus guère. Tout l'après-midi, il avait menacé de neiger, mais pas un flocon n'était encore tombé.

– Oui, dis-je à David comme il en faisait la remarque, c'est même une sacrée chance pour Joe... Je me demande où il en est, en ce moment.

– Il devrait arriver d'un moment à l'autre, dit David, en découpant avec sa pelle une dernière tranche de neige le long du chemin que nous venions de dégager.

– Il disait qu'en gros, à l'aller, il devait pouvoir faire pas loin de cinq kilomètres en une heure, mais qu'il irait moins vite au retour, parce qu'il serait chargé. Mettons, pour le retour, trois kilomètres et demi en une heure. Bon. Ça lui fait dans les trois heures de trajet, aller et retour. Comptons une heure de halte là-bas, ça fait déjà quatre heures. Il est parti vers dix heures et demie, ça fait qu'il devrait arriver à... à... euh... deux heures et demie, finis-je par conclure, après avoir furtivement compté sur mes doigts.

– Bravo, excellent, dit David. On voit tout de suite pourquoi tu es l'élève préféré de Pousse-Coude.

Je fis celui qui n'avait rien entendu.

– Et quelle heure est-il, là, au juste? demandai-je, tout en prélevant, d'un geste stylé, une dernière tranche de neige sur mon côté de chemin.

– Quatre heures moins cinq.

– Ah? Il devrait être là depuis plus d'une heure, alors.

– Oui. Mais ne te tracasse pas trop pour lui. Il connaît ces bois comme sa poche. Regarde-moi ce beau travail. Droit comme un I.

– Sûr. Surtout de mon côté. Le tien a bu un coup de trop. Par là, tu vois..., dis-je en désignant une courbe imaginaire.

Non, c'était vraiment un bel ouvrage. Les bords en étaient si hauts, par endroits (près d'un mètre quatre-vingts), qu'on aurait dû l'appeler tranchée plutôt que chemin, ou peut-être même tunnel.

– Tiens, j'ai une idée! Si on mettait des

planches par-dessus, en travers ? Ça nous ferait comme un tunnel. Et puis, ça empêcherait la neige qui va tomber de le reboucher aussitôt !

– Fais-le si ça t'amuse, dit David. Moi, je rentre. Je suis frigorifié. Allons voir ce que Paula est en train de trafiquer.

Je lui emboîtai le pas, tout en poursuivant mon idée de tunnel qui me paraissait bonne.

Mais sitôt la porte ouverte, toutes les pensées de tunnels, de chemins et de neige s'effacèrent d'un seul coup. Car une bouffée d'air tiède nous apprit immédiatement ce qu'avait fait Paula.

– Paula ! hurlai-je, fou de joie. Tu es formidable ! Oh ! vite, vite, fais voir ! J'ai une faim de loup !

Une délicieuse odeur de pain chaud, juste cuit, m'emplissait les narines. Pour un supplément d'information, je reniflai un bon coup. Il n'y avait pas à s'y tromper, une autre odeur encore venait s'y mêler, plus substantielle peut-être, presque une odeur de viande ! J'en eus l'eau à la bouche et l'estomac grondant.

David poussa un râle et fit semblant de

s'évanouir. Il posa lourdement sa tête sur mon épaule :

– Ah! soutenez-moi! gémit-il. Je me meurs... Mon pauvre estomac se demande si je n'ai pas la tête coupée! Pitié...

Je le poussai, tout chancelant, jusque dans la cuisine, où l'odeur à elle seule était déjà presque aussi bonne qu'un repas (j'ai dit : presque). Paula, ravie de son succès, arborait un sourire rayonnant.

– Seulement, ce n'est pas encore tout à fait prêt, dit-elle. Il faut attendre que ça refroidisse.

Des pains! Quatre pains, à la croûte si bien dorée qu'ils semblaient plus vrais que nature!

– Paula, dis-je, tu es un génie, je l'avais toujours dit. Incroyable. On dirait des vrais. Comment as-tu fait?

– Bien sûr que ce sont des vrais, pardi! J'ai suivi la recette de Maman, point par point, c'est tout. Sauf pour le lait : j'ai mis de la neige fondue, à la place.

Je demandai étourdiment.

– Et pourquoi pas l'eau du robinet?

Paula prit sa voix la plus patiente :
– Parce qu'il n'y a pas d'électricité. Pas de courant, pas de pompe à eau. Pas de pompe à eau, pas d'eau au robinet.
– Et qu'est-ce qu'il y a, là-dedans? demanda David en risquant son nez au-dessus des trois casseroles qui frémissaient sur le poêle.
– Du concentré de bœuf, des petits pois et de l'eau, expliqua Paula en désignant tour à tour chacune des casseroles.

David salua les pois d'une grimace et s'enquit :
– De l'eau? Pour quoi faire?
– Nous avons pas mal de sucre, dit Paula. Et le sucre donne de l'énergie. Alors, pour garder nos forces, nous boirons de cette neige fondue, chaude et sucrée.

Je me dépiautai de mon parka aussi vite que je le pus. Paula coupa deux pains en douze tranches épaisses. Elle nous en donna quatre à chacun sur une assiette, versa dessus du bouillon de bœuf et, quand le bouillon fut absorbé, garnit le tout de pois.

C'était divin. Avec force « Mmmmm! »

et « Ooooooh! » les mets eurent bientôt disparu des assiettes. Même les pois avaient semblé bons. Je fis rouler mes yeux de mon assiette vide aux deux pains restants, en un aller retour éloquent.

– Non, non, dit Paula, qui avait suivi mon regard. Et si Joe rentrait les mains vides, hein? Il reste encore un peu de farine et de levure, mais qui peut savoir combien de temps il faudra les faire durer?

– Ah! quel dommage que nous n'ayons pas de petits poissons! dis-je en prenant un air rêveur.

Paula tomba dans le panneau :

– Des poissons? Et pourquoi ça?

– Parce que tu ferais un miracle, tu les multiplierais!

Oui, c'était facile de plaisanter, à cet instant, une fois calmés les démons de la faim! Mais je n'aurais pas été si fier si j'avais su ce que les jours suivants nous réservaient! Je n'aurais pas parlé de miracle à la légère si j'avais deviné à quel point, très bientôt, nous en aurions besoin d'un...

5. Seuls pour la nuit

Nous étions assis tous trois dans la cuisine, dans la douce lumière jaune de la lanterne-tempête. Nous l'avions posée tout contre la fenêtre, afin qu'elle pût servir de fanal pour Joe, à travers la vitre.

– Il ne rentrera pas ce soir, dit David. Il est beaucoup trop tard, maintenant.

Il me jeta un bref coup d'œil et ajouta :

– Ne te fais donc pas de mauvais sang, John. Au fond, c'est facile à expliquer, si on y réfléchit. Tout simplement, le trajet aller lui a sans doute pris plus de temps que prévu. Et, voyant qu'il ne pourrait pas être de retour ici avant la nuit, il a décidé de passer la nuit là-bas. Il sera de retour demain, dans la matinée. C'est évident. Pas de quoi se tourmenter.

Moi, je n'en étais pas si sûr.

– Il a pu aussi lui arriver quelque chose.

Cela m'ennuyait de voir David accepter aussi facilement le retard de Joe. Je ne suis pas de ceux qu'un rien contrarie, en fait je suis plutôt d'un naturel optimiste et confiant, mais j'étais un peu choqué de la légèreté avec laquelle David semblait se rassurer à bon compte sur le sort de Joe. Après tout, c'était notre ami. Il avait sauvé la vie à Ann, l'été dernier, il avait abattu un travail monstre à la ferme, avec Papa, pour retaper la maison, bâtir la grange, faire les enclos et couper des arbres; il nous avait appris des tas de choses que seuls savent les Indiens. Et puis surtout, surtout, il nous aimait bien, et nous l'aimions bien. Bref, nous étions amis. Et c'est la moindre des choses, non? que de se faire du souci pour ses amis. En tout cas, c'est mon avis.

Je m'apprêtais à tenter d'expliquer cela à David lorsqu'il se leva et m'invita à « raisonner un peu » :

– Enfin, John, que veux-tu qu'il puisse lui arriver dans les bois? Les Indiens sont chez eux, dans les bois! (Il avait pris son air sentencieux.) Tu devrais bien le savoir, tout de même!

Je cherchai une réplique bien sentie, mais il me coupa net :

– En tout cas, moi, je vais me coucher. Tâcherai de rêver de bifteck frites...

Quand il eut disparu, je pris Paula à témoin :

– Non mais, tu te rends compte? Joe est peut-être dans la neige, en train de mourir de froid, et lui ne pense qu'à son estomac!

– Ce n'est pas vrai, dit Paula. David se fait autant de mauvais sang que toi et moi. Seulement il ne veut pas le laisser voir.

Je hochai la tête. Il me semble parfois que Paula, sur certains points, grandit vraiment très vite. Elle a beaucoup changé depuis que nous habitons aux *Arpents*; comme cette façon qu'elle a maintenant, par exemple, de trouver des excuses aux gens. Peut-être parce qu'elle vieillit et qu'elle n'a plus le regard aussi critique.

– Non, Paula, j'ai bien peur que tu ne te trompes, commençai-je, accablé. Je crois que...

Mais toutes mes profondes réflexions sur l'ambiguïté du caractère de David ou sur quoi que ce soit d'autre furent éparpillées soudain, comme des boules de pétanque après un tir pointé : Paula venait de sursauter et se tenait raide sur sa chaise. La brusquerie de son mouvement m'avait fait comme une décharge électrique. La colère me vint :

– Alors, ça ne va pas, non? Tu m'as flanqué une de ces trouilles!

Mais elle avait les yeux écarquillés, comme fous de terreur, et, d'un geste impératif, elle me fit signe de me taire et d'écouter.

Je tendis l'oreille, sans savoir au juste vers quoi, j'entendis à mon tour : un grattement! Quelque chose grattait, impérieusement, derrière la porte.

Je voulus parler, mais ma voix, justement, avait disparu Dieu sait où, et je dus avaler un bon coup pour la faire revenir :

– Ce n'est rien, Paula, dis-je d'une voix que je voulais rassurante.

Mais ce n'était pas ma voix du tout, il n'en restait qu'un filet grinçant.

C'est alors que David dégringola l'escalier, quatre à quatre ou trois à trois, à en juger par le bruit. Il dut sauter, pour finir, les cinq ou six dernières marches, car son atterrissage ébranla toute la maison. J'avais déjà le cœur qui battait la chamade, et cette descente en catastrophe n'améliorait pas les choses.

Il fit irruption dans la pièce, à moitié déshabillé, et aussi pâle que je devais l'être.

– Des loups! souffla-t-il d'une voix incrédule. Toute une bande de loups. Autour de la maison. Il y en a partout. Ils rôdent dans tous les sens. Des loups ou des chiens sauvages, c'est difficile à dire.

– Les loups ne descendent pas aussi bas vers le sud, si?

Je n'étais point trop sûr de moi mais

ma voix, du moins, semblait redevenue à peu près normale.

– Si, en hiver, dit David en s'approchant de la fenêtre.

J'avais l'impression de reprendre un peu confiance, à présent qu'il était question de quelque chose de bien réel et non d'esprits ou de revenants.

– Tu y vois quelque chose?

Je rejoignis David. J'appuyai mes mains, en visière, contre la vitre, et scrutai la flaque de lumière que la lampe tempête projetait au-dehors. La neige réverbérait sa lumière jaune, si bien qu'une large zone en était éclairée, qui s'estompait progressivement vers les ténèbres. Nos assiégeants, quels qu'ils fussent, étaient assez malins pour se tenir à l'écart de la zone éclairée, mais lorsque mes yeux se furent habitués à l'obscurité je pus distinguer plusieurs formes sombres qui se mouvaient dans la pénombre.

Paula était accroupie près de la porte intérieure entrouverte, très occupée à écouter attentivement. Mais elle finit par secouer la tête et se remit debout quand je l'invitai à venir regarder à la fenêtre.

– Non, dit-elle. Il a dû s'en aller. Je ne l'entends plus gratter.
– Il n'y en a pas qu'un, tu sais! lui dis-je. Ils sont toute une bande, et ils sont encore là. Si tu regardes bien, tu les verras bouger, par là.
– J'aimerais bien savoir ce que c'est, au juste, dit David, l'air soucieux. Il y a une grande affiche, à l'école, dans la bibliothèque, qui montre la tête d'un loup. Et il y a marqué : LAISSEZ-LUI LA VIE SAUVE, c'est tout. D'après ce qu'on nous a dit, les loups ne sont pas dangereux, ils n'attaquent pas les humains... Tandis que si ce sont des chiens sauvages, c'est beaucoup plus grave, et nos ennuis ne sont pas terminés!
– Je crois que ce sont des chiens sauvages, dit Paula avec anxiété. Les loups sont beaucoup trop malins pour s'approcher si près des hommes, et ça m'étonnerait qu'ils grattent à la porte d'une habitation.
– Tu as sans doute raison, dit David, mais dans ce cas nous ne sommes pas près de nous en débarrasser. Ce qu'ils doivent sentir, tu penses, c'est l'odeur

des cochons! De la chair fraîche, voilà ce qu'ils cherchent...

Je frissonnai. J'aurais préféré moins de précisions. Ah! si seulement Joe avait été là! Il nous aurait dit que faire...

Joe. Le souvenir me revint : et s'il était vraiment perdu dans la neige? En train de se débattre non seulement contre le froid, mais encore contre une horde de chiens sauvages? Ma propre peur s'effaçait pour se reporter sur Joe. Mais nous ne pouvions absolument rien faire pour lui ce soir, et probablement guère davantage le lendemain matin, s'il s'était réellement perdu. A moins qu'après tout David n'eût raison. Peut-être Joe avait-il décidé de passer la nuit à la ferme. Peut-être n'était-il pas perdu du tout... Mais s'il l'était, que faire pour lui? Nous pouvions sûrement faire quelque chose, mais quoi?

J'en étais là de mes réflexions, à tourner en rond sans issue, lorsque Paula dit tout haut, presque dans mon oreille :

– Nous pouvons toujours barricader les fenêtres.

Je la regardai sans comprendre. Barricader les fenêtres? De quel secours serait-ce pour Joe?

– Je ne vois pas pourquoi, dis-je. Au contraire. Ça masquera la lumière de la lampe!

Ce fut le tour de Paula d'avoir l'air perplexe.

– Mais justement, dit-elle. C'est beaucoup mieux qu'on soit invisibles du dehors!

– Ah oui? Et comment veux-tu qu'il nous trouve, alors?

– Mais! hurla Paula, hors d'elle, nous ne voulons PAS qu'ils nous trouvent! Enfin, bon sang, de quoi parles-tu?

– De Joe, bien sûr.

– Oh! ne pense plus à Joe, dit David. A l'heure qu'il est, il doit dormir du sommeil du juste, chez Brown, tu peux me croire! Nous, nous parlions de cette horde de chiens, juste à la porte. Et Paula pense que nous devrions barricader les fenêtres.

– Ah bon!

Quelque chose me disait que David avait tort. Joe avait besoin d'aide. Je le sentais, je le savais. Mais là où il avait raison, c'est quand il disait que nous devions faire quelque chose pour notre propre sécurité.

– Tout de même, je ne crois pas que nous risquions grand-chose dans la maison, dis-je en réfléchissant.

– Non, dit David, il ne doit pas y avoir besoin de barricader les fenêtres...

– Eh bien moi, coupa Paula, je ne me sens pas du tout en sécurité comme ça, avec une bande de chiens sauvages en train de rôder autour de la maison! Surtout pendant que je dors!

– J'ai une idée : apportons des fauteuils dans la cuisine, proposai-je. C'est là que nous dormirons cette nuit, en prenant chacun un tour de veille pour monter la garde.

– Bonne idée! s'écria Paula, un peu ragaillardie. Et nous pourrions prendre une arme, aussi. Je veux dire, n'importe quoi, quelque chose pour les assommer d'un bon coup sur le crâne, si jamais ils décidaient de rentrer par la fenêtre!

Mais l'idée des fauteuils ne séduisait guère David.

– Pas très confortable, pour dormir, dit-il. Pourquoi ne descendrions-nous pas plutôt des sacs de couchage?

Je ricanai d'un rire jaune :

– Je préfère avoir des courbatures et sauver ma peau, plutôt que de passer une bonne nuit pour me retrouver dans l'autre monde. A ton avis, en cas d'urgence, combien de temps te faut-il pour t'extraire d'un sac de couchage?

– Moi? dit David, rieur. Un dixième de seconde, pas plus.

Et il reprit sa lampe de poche pour filer à l'étage.

Je pris la lampe tempête pour aller dans le séjour; et de grandes ombres mouvantes s'animaient sur mon passage, sur le sol et sur les murs, silencieuses et fantomatiques. Je ne me sentis rassuré qu'une fois de retour à la cuisine, poussant mon fauteuil devant moi. Paula me suivait de près et gara son fauteuil le long du mien, à côté du poêle. Je ne sais pas, au fond, pourquoi nous avions élu la cuisine, mais j'avoue que sur le moment c'était la seule pièce de la maison qui nous parût accueillante.

David poussa la porte pour entrer,

chargé de sacs de couchage, d'oreillers et de couvertures. Il s'installa de l'autre côté du poêle, de manière à placer Paula entre nous deux.

– Bon, qui monte la garde en premier? demanda-t-il.

– Moi! dit tout de suite Paula.

– Et toi, John, quand préfères-tu veiller?

– Ça m'est égal.

– Alors, tu réveilleras John à minuit, dit David à Paula. Et toi, John, tu me réveilleras à quatre heures. Ça vous va?

J'acquiesçai sans même réfléchir. Une autre pensée venait de me traverser la tête, en passant par mon estomac. Faim. Déjà. Mon estomac coassait, je mourais de faim et, de fil en aiguille, je me pris à espérer que les chiens sauvages, dehors, ne fussent pas aussi affamés que moi. Car je me serais parfaitement senti capable de bondir à travers une vitre si j'avais su qu'il y avait de quoi manger derrière. Et malheureusement, pour les chiens sauvages, « de quoi manger », c'était nous!

– Au fait, et ces armes dont nous

parlions? dis-je. Je crois que je vais prendre un autre couteau.

J'avais déjà mon canif à la ceinture, un vrai Bowie que Joe m'avait appris à lancer. Mais il devait y en avoir un meilleur dans le tiroir de la cuisine. Un Ontario. A peu près de la même forme que le mien, mais plus grand, et doté d'un vieux manche de noyer blanc. Pendant que je fouillais le tiroir à la recherche de ce couteau, David sortait la hachette du placard et Paula se munissait d'un tisonnier. Après quoi, ainsi armés, nous nous installâmes pour la nuit.

Nous restâmes un moment éveillés après avoir éteint la lampe. Il n'y avait plus aucune raison de la garder allumée, même en guise de fanal pour Joe. Joe ne rentrerait plus ce soir, c'était maintenant une certitude. Aucun de nous ne parlait, car chacun était absorbé par ses propres pensées. J'étais en train d'essayer d'élaborer ce que nous pourrions faire pour Joe le lendemain lorsque Paula rompit le silence.

– Oh John! John! cria-t-elle.

Je bondis sur mes pieds, pensant

qu'elle avait encore entendu gratter. Mais ce n'était pas ça :

– Et les cochons? dit-elle. Que faire pour eux?

– Au diable tes cochons! répondis-je un peu rudement. Ne t'imagine pas que je vais aller, à la nuit noire, me pelotonner contre ton petit Henry pour le rassurer, alors qu'une meute de chiens sauvages est en train de nous tourner autour!

J'entendis David rire de mon indignation.

– Ne t'en fais pas pour les cochons, dit-il à Paula. Ils sont en sécurité, bien enfermés dans la porcherie. Ils sont sans doute plus en sécurité que nous!

Chacun reprit place. A la lumière papillotante des petites flammes qui dansaient derrière la vitre du poêle, je pouvais distinguer Paula, assise bien droite dans son fauteuil, la main cramponnée à son tisonnier. J'avais, quant à moi, mes deux couteaux sous la main, et je devinais que David gardait sa hachette à proximité. Si des chiens nous attaquaient, ou des loups ou Dieu sait quoi, ils trouveraient à qui parler.

6. Le piège

Le jour se leva sur un ciel sombre et couvert, tout encombré de nuages volant bas.

David nous avait réveillés dès les premières lueurs de l'aube, pour rompre sa solitude, probablement. Il ne nous l'aurait pas avoué, bien sûr, mais je ne voyais vraiment pas d'autre raison pour nous tirer du sommeil aussi tôt. Moi-même, d'ailleurs, je m'étais senti un peu seul durant mon tour de garde; et pourtant, d'une certaine façon, j'y avais pris plaisir. J'avais découvert que les premières heures du jour ont quelque chose d'irréel, presque de surnaturel, à tel point que je m'étais senti un peu en dehors du temps. Les chiens sauvages ne me faisaient plus peur, plus rien ne semblait pouvoir me faire peur. Je m'étais efforcé de rester éveillé en songeant à toutes sortes de choses, de ces choses dont je m'étais toujours dit que j'y réfléchirais quand j'aurais le temps. Les étoiles, par exemple. C'était fascinant de songer à elles pour de bon. Si je pouvais, par exemple, m'envoler en plein dans l'espace, plus loin que la Lune et que les planètes, plus loin que les étoiles, jusqu'où irais-je? Où m'arrêterais-je? Et qu'est-ce qui m'arrêterait? Quel mur? Quelle limite? Quelle frontière? Et qu'y avait-il de l'autre côté de cette marge-là?

Je n'avais pas les réponses, bien sûr. Mais rien que de se poser les questions, c'était déjà assez amusant. Et c'est étonnant de voir à quel point réfléchir à ce genre de questions peut vous faire paraître le reste du monde banal et de peu d'importance, à côté; les chiens sauvages eux-mêmes en devenaient ridicules, tant ils étaient petits et quelconques! Voilà pourquoi je n'avais pas eu peur durant mon tour de veille.

Maintenant, malheureusement, dans la froide lumière du jour, c'était bien autre chose! Je ne pouvais pas m'empêcher d'imaginer des hordes entières de chiens féroces, qui n'avaient plus rien de petit ni de quelconque. Il y avait, dans l'air immobile, comme une menace sourde. Une inspection attentive des alentours, par les fenêtres de l'étage, n'avait pourtant révélé qu'un paysage vide : partout de la neige, et rien d'autre que des arbres, des buissons, des rochers, sans nul signe de créature animée. Rien ne bougeait, nulle part, rien ne disait clairement le danger. Mais la venue des chiens sauvages avait laissé dans l'atmosphère des *Arpents* quelque chose d'oppressant que David et Paula, clairement, éprouvaient comme moi, car leurs yeux fatigués en disaient long.

– Eh bien, aujourd'hui, dis-je avec un entrain forcé, au-dessus de mon petit-déjeuner (deux grosses tranches du pain de Paula et une demi-tasse de bouillon), nous avons des tas de choses à faire.

– Oui. D'abord, nourrir les cochons! dit Paula d'un ton décidé.
– Non, rectifiai-je, pas en premier. Ce qu'il faut faire d'abord, c'est aller à la cabane, récupérer la carabine de Joe.
– Ça, ce n'est pas idiot, dit David. Entièrement d'accord. Avec ça, on sera parés... Euh!... tu es sûr de bien savoir te débrouiller avec, John? s'inquiéta-t-il tout de même.
– T'en fais pas, lui assurai-je d'un air supérieur. Qu'une seule de ces bestioles montre les dents, tiens, et tu verras! Pan! Entre les deux yeux...
– Bon, alors, va vite la chercher! s'impatienta Paula. Mon pauvre petit Henry doit attendre son repas!
David grommela :
– Ton pauvre Henry SERA un repas avant longtemps, si nous n'avons toujours rien d'autre à nous mettre sous la dent, menaça-t-il sans ménagement.
A la façon dont il le disait, j'eus la conviction qu'il ne plaisantait plus.
– Oui, et il y a encore autre chose, ajoutai-je. Si Joe n'arrive toujours pas, il va bientôt falloir se lancer à sa recherche.

– Combien je te parie qu'il sera là avant onze heures? dit David. Tiens, en ce moment même, il doit être en route, chargé de tonnes de provisions.

Je n'avais vraiment pas envie de prendre un pari là-dessus, et d'ailleurs je ne possédais pas le plus petit dollar pour la mise. Mais David semblait tellement sûr de lui qu'il me rendit confiance.

– Tu prends ta hache, David? demanda Paula en mettant ses bottes.

– Tu penses bien que oui! s'écria-t-il avec conviction.

Il ouvrit la porte d'entrée avec circonspection, comme on le ferait par une nuit noire, quand on vient juste de lire une histoire de fantômes. Je me tenais derrière lui, et guettais par-dessus son épaule.

– Rien de rien! annonça David, en ouvrant tout grand le volet extérieur.

L'air vif du dehors me sauta au visage, la gorge et le nez me brûlaient à chaque aspiration, mais le froid était vraiment le cadet de mes soucis.

– Hé dites, regardez donc! dit soudain Paula

Elle désignait l'extérieur de la porte.

J'en restai médusé : de larges éraflures, profondément creusées dans le bois, striaient le bas de la porte depuis la poignée.

– Ce doit être un joli spécimen. Regardez jusqu'à quelle hauteur il a gratté!

– Il était peut-être debout sur ses pattes de derrière, fit remarquer David. Allez, vous venez? En route pour la cabane!

Les chemins que nous avions dégagés étaient restés bien nets. L'inconvénient, c'est que pour rejoindre la cabane il nous fallait franchir une muraille de neige d'un mètre cinquante. David et moi fîmes la courte échelle à Paula avant de faire l'escalade nous-mêmes. Je ne sais pas comment je m'y pris au juste, mais j'atterris à l'étage supérieur le nez dans la neige, toussant et crachotant sous ce masque enfariné.

Il ne nous fallut pas chercher longtemps pour trouver des traces de nos visiteurs. Après cette nuit sans vent et sans chute de neige, les empreintes de leurs pattes étaient encore bien nettes. Il nous sembla pouvoir dénombrer sept pistes distinctes; à première vue, elles semblaient plus nombreuses, parce qu'elles se superposaient, se recoupaient, s'entremêlaient et se distinguaient mal les unes des autres. La plupart des empreintes étaient plutôt menues et rapprochées, à l'exception de celles qui formaient la piste la plus nette : celles-là étaient larges et fortement espacées.

– Dis donc, celui-là, il doit être de belle taille, commenta David quand je les lui désignai. Je me sentirai nettement mieux quand nous aurons la carabine de Joe.

Ç'aurait été amusant d'avancer dans cette neige molle où l'on s'enfonçait si bien s'il n'avait fallu, hélas, garder l'œil aux aguets! Mais aucun signe de danger ne vint confirmer nos alertes, et lorsque la cabane fut en vue nous nous sentîmes déjà un peu rassérénés.

– Peut-être qu'ils sont partis, dit Paula qui reprenait confiance.

David estima que c'était fort possible, et nous nous lançâmes dans une bonne bataille de boules de neige. C'était drôlement bon de faire un peu les fous! Malheureusement, ce moment d'ivresse fut de courte durée.

Il faisait sombre à l'intérieur de la cabane, dont toutes les fenêtres étaient obscurcies par la neige. Malgré la pénombre, pourtant, il régnait dans la pièce une impression de sécurité. Les murs étaient faits de gros rondins, et les fenêtres, petites, avaient de solides encadrements de bois.

Je décrochai la carabine du mur. Elle était lourde et puissante; rien qu'à la soupeser, je me sentais plus fort.

– Où range-t-il ses cartouches? demanda David.

– Aucune idée, dis-je en ouvrant la culasse pour vérifier qu'elle était vide. Il va falloir les chercher. Il me faudra un ou deux chargeurs, aussi.

Le mobilier, de toute façon, se réduisait à peu de chose : tout juste une commode et un vieux placard.

– Les voilà! s'écria Paula en sortant une boîte de cartouches d'un tiroir du bas. Sale invention! ajouta-t-elle en se hâtant de les déposer sur le dessus de la commode et de prendre le large comme si elles allaient lui sauter au nez.

– Et les chiens sauvages? lui dit David. Ce sont de braves petites bêtes, peut-être?... En tout cas, maintenant, nous avons de quoi nous défendre.

Je ne pensais pas que nous aurions besoin de toute la boîte, mais je la pris malgré tout. Abondance de biens ne nuit pas. Les chargeurs se trouvaient dans le même tiroir. Deux d'entre eux étaient pleins et je les fourrai dans ma poche.

Pendant notre retour il se mit à neiger. Je sentis sur ma joue un flocon qui venait d'atterrir et qui commençait à fondre. Mais je n'en éprouvai aucune joie. Encore de la neige. En d'autres circonstances, j'aurais fêté ce regain. Mais là, je ne pensais qu'à une chose : Joe serait gêné pour rentrer.

Il ne fut pas question de traîner pour regagner la maison. Nos empreintes toutes fraîches facilitaient notre marche, mais la neige qui tombait les comblait de minute en minute, et il ne fallait pas musarder. Nous avions beau être sur nos terres, si nous perdions de vue notre piste, nous risquions fort de nous égarer!

Mais bientôt la maison surgit droit devant nous et, quelques instants plus tard, fortement soulagés, nous refermions la porte au nez de la tempête.

– Eh bien! commenta David en essuyant d'un revers de manche son visage saupoudré de neige, je n'aimerais pas être pris là-dedans quand je suis loin de chez moi. J'espère drôlement que Joe est en sécurité quelque part!

La même pensée me tenaillait, mais j'étais heureux d'entendre David l'exprimer lui aussi. Peut-être n'était-il pas si égoïste, après tout?

– Je suis bien content de t'entendre te tracasser un peu pour lui.

– Ben quoi? dit David, avec un large sourire. Normal, non? C'est lui qui apporte la bouffe!

Toute ma perplexité à son propos me revint.

– Oh! par pitié, s'il vous plaît, dit Paula, ne parlez pas de manger! J'ai si faim que je dévorerais un cheval!

– Et pourquoi pas un petit cochon? demanda David, sournois.

– Oh, malheur! s'écria Paula, catastrophée, une main sur la bouche en signe de détresse. Nous avons oublié de nourrir les cochons! John, tu voudrais bien venir avec moi pour faire le guet?

David nous regarda sortir et nous héla depuis la porte :

– Dites! n'oubliez surtout pas de ramener ici ce bon petit Henry!

Un peu plus tard dans la matinée, nous nous attablâmes dans la cuisine, devant une tasse d'eau sucrée, en essayant d'oublier la faim. Les cochons avaient mangé (heureux cochons!), et Paula avait garni de sa nouvelle préparation de pâte à pain quatre moules alignés là, au bout de la table. Elle attendait, pour les enfourner, qu'ils aient suffisamment levé. Nous discutions sur les différents moyens possibles pour en finir avec les chiens, si jamais ils revenaient, mais je crois qu'en fait nous en parlions tous un peu sans y penser vraiment. La seule chose qui importait, pour le moment, c'était d'écarter nos pensées de nos estomacs vides.

– J'ai une idée, dit David. Il nous faudrait un appât. Un petit chevreau, par exemple. Je crois que c'est ce qu'on utilise dans ces cas-là.

– Nous n'avons pas de chevreau, dis-je en riant sous cape, parce que je savais que David plaisantait aussi, mais nous avons des petits cochons. Des tas de petits cochons.

– Voilà, parfait! dit David. C'est sûrement mieux encore. Nous n'avons qu'à attacher Henry dehors, dans la neige, pour attirer les fauves, et John pourra leur tirer dessus.

J'étendis le bras à l'horizontale et visai :

– Ping!

– Mais voyons, sinistre crétin! dit David en s'efforçant de prendre le ton distingué d'un Anglais de la haute société, voyons, voyons, c'est sur Henry que vous avez tiré, mon cher!

Paula n'appréciait pas du tout cette plaisanterie. Elle se leva pour voir si son pain était prêt à être mis au four.

David m'adressa un regard complice.

– Une autre idée! enchaîna-t-il. Nous pourrions les empoisonner. Il n'y a qu'à mettre dehors du pain de Paula, et bientôt on les verra tous se tordre, dans les affres de l'agonie!

Celle-là, visiblement, était encore moins du goût de Paula. Je ne pus m'empêcher de songer qu'à la prochaine distribution, si c'était Paula qui faisait le partage, David risquait de se retrouver à la portion congrue! La pensée de Paula avait dû suivre le même cheminement, car elle dit posément :

– Si Joe ne se dépêche pas d'arriver, tu le pleureras, mon pain, tu verras.

Et brusquement, aucun de nous n'eut plus envie de rire. L'évocation de Joe venait de faire surgir dans mon esprit un rapprochement auquel je n'avais pas encore songé. Joe devait se trouver non loin d'ici, maintenant, et peut-être la horde de chiens sauvages rôdait-elle toujours dans le secteur. Or, Joe n'avait pas d'arme; c'était comme s'il se jetait dans la gueule du loup.

– Je ne sais pas si vous vous en rendez compte, dis-je, mais Joe est en train de se jeter dans la gueule du loup. Il n'est pas au courant, pour les chiens sauvages. Il risque de marcher droit sur eux. Et il n'a pas d'arme.

Il y eut un long silence.

– Nous ferions mieux de trouver quelque chose, et vite, finit par dire David. Il faut tendre un piège à ces chiens.

7. Nous gagnons la première manche

Paula ne voulait pas entendre parler de l'idée d'utiliser comme appât Henry ou l'un de ses frères, pas même pour tenter de sauver une vie humaine. Elle resta inflexible.

– C'est trop inhumain, disait-elle. Un pauvre petit animal absolument sans défense! Vous ne pouvez pas faire ça.

– Mais John fera le guet avec sa carabine! protestait David. Ton petit cochon ne courra aucun risque.

– Non et non.

Je ne crois pas que Paula ait eu des doutes sur mes qualités de tireur; elle m'avait vu, des quantités de fois, viser et toucher des boîtes de conserve à cinquante mètres. Non, ce qu'elle ne pouvait supporter, c'était l'idée de cet animal attaché, impuissant, sentant venir le danger sans même pouvoir s'enfuir.

J'avoue que l'idée ne me plaisait guère, à moi non plus. Je mesurais trop bien la différence entre une vieille boîte de conserve et une cible mobile. Mais d'un autre côté, c'était pour tenter de sauver Joe, d'écarter de lui la menace des chiens sauvages, et nous n'avions apparemment guère le choix.

– Et l'autre idée dont vous parliez tout à l'heure? dit Paula.

– Laquelle? Ah, ton pain! dit David. Tu penses bien qu'il n'est pas si mauvais que ça! Au contraire, ajouta-t-il en jetant un coup d'œil gourmand en direction du four, duquel nous parvenait une délicieuse odeur de pain chaud, j'avoue qu'en fait il est exquis.

– Mais justement, coupa Paula, si nous l'utilisions comme appât? Tu crois que les chiens en voudraient, dis?

Il me vint un trait de génie.

– Ecoutez donc, dis-je, tout excité, et si

nous y mettions du poison? Deux précautions valent mieux qu'une. Comme ça, si je manquais mon coup, ceux qui en mangeraient mourraient quand même!

– L'idée ne paraît pas mauvaise, dit David. Un petit défaut : nous n'avons pas de poison.

– Voilà qui m'étonnerait, dis-je. La plupart des médicaments sont bel et bien des poisons, si l'on en prend trop. C'est une question de dose. Même l'aspirine peut tuer. Allons voir dans l'armoire à pharmacie.

Elle était fermée à clé, bien sûr, à cause d'Anne, notre petite sœur.

David courut en bas chercher un gros tournevis.

– Maman ne sera pas trop contente, dit-il en enfonçant la pointe dans la fente de la charnière. Mais c'est un cas de force majeure.

Paula et moi le regardâmes peser sur la poignée, s'escrimer de toutes ses forces jusqu'à ce qu'enfin, dans un craquement, la porte s'ouvrît toute grande.

L'intérieur était bourré d'une impressionnante variété de boîtes et de flacons, de sparadrap et de bandes Velpeau, de fioles, de pommades diverses et de tubes entamés. L'essentiel semblait destiné à soigner les rhumes et la toux, mais il y avait tout de même un flacon presque plein de comprimés d'aspirine. Il devait bien y en avoir une centaine.

– Pas mal, pas mal, ça devrait faire l'affaire, dit David en brandissant le flacon. Si nous arrivons à leur faire avaler ça, ils sont bons pour un sacré mal au crâne! Même le plus gros ne devrait pas y résister.

Paula était en train d'examiner une fiole de verre teinté, remplie de petites capsules roses.

– Ça, ce serait encore mieux! s'écria-t-elle après avoir lu l'étiquette. Les trucs pour dormir que prenait Maman, pendant un temps, avant qu'on vienne habiter ici. Il y a là de quoi les endormir tous. Définitivement.

– Nous n'avons qu'à mettre des deux, dit David. Du pain à l'aspirine et du pain aux trucs pour dormir. Je crois que tu ferais bien de prévoir une grande fournée, cette fois, Paula.

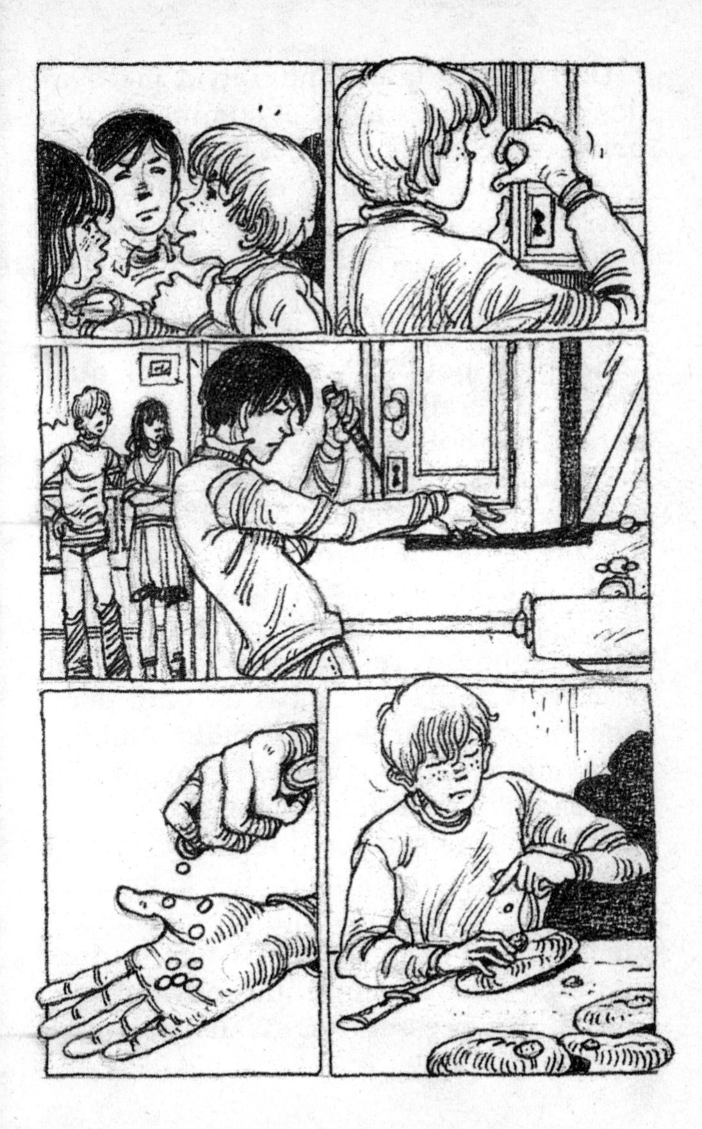

De retour à la cuisine, David prit l'un des pains qui restaient et commença à le perforer de petits trous, à l'aide du tournevis. Paula, pendant ce temps, avait mis à chauffer une ration d'eau sucrée pour chacun et s'affairait à refaire de la pâte.

Cette boisson au sucre, je commençais à ne plus pouvoir la sentir. Oh! quel délice ce serait d'avaler plutôt un hamburger, un hot-dog, une pleine assiettée de haricots, bref, n'importe quoi de solide et de consistant!

– Crois-tu que ça va marcher? demanda Paula qui regardait, anxieuse, David larder le pain de cachets d'aspirine. Voilà tout ce qui nous reste de farine : de quoi faire trois petits pains. Pas de quoi tenir longtemps... Pourtant, s'il neige comme ça, il faudra un bout de temps avant que quiconque puisse nous rejoindre ici.

Dehors, il faisait terriblement sombre. Je contemplai un moment, par la fenêtre, les énormes flocons qui descendaient sans trêve et se collaient parfois un instant à la vitre. Je me sentais envahir par de sombres pressentiments. Ils étaient si beaux, si purs, ces papillons blancs! Mais ils tombaient si dru, comme s'ils provenaient de quelque réserve inépuisable, et leur innocence même avait quelque chose de mortellement dangereux. Ils pouvaient ensevelir *Les Arpents*, dans le plus parfait silence, et nous n'y pouvions absolument rien. Je sentais la peur arriver sur moi, en traître, comme les toiles d'araignée viennent se plaquer sur vous quand vous avancez dans une caverne obscure. Car la menace des chiens sauvages n'était peut-être pas le pire, je venais de le réaliser...

– Mais bien sûr que ça va marcher, m'entendis-je répondre à Paula, avec quelque retard, et en m'efforçant de prendre une grosse voix pleine d'assurance.

Malheureusement, mes cordes vocales me trahirent et ma voix fit des couacs. Paula, par bonheur, crut que l'effet était voulu et se mit à rire de si bon cœur que je fus pris à mon tour d'une crise de fou rire.

– L'ennui, c'est que le pain n'a pas beaucoup d'odeur, dit David, soudain pris de doute. Surtout quand il est froid.

Paula jeta un coup d'œil sur notre dernier cube de concentré de bœuf.

– On pourrait peut-être l'imprégner de bouillon, suggéra-t-elle. Ça lui donnerait une bonne odeur de viande... L'inconvénient, c'est que nous n'aurons plus que du pain sec. C'est notre dernière tablette.

– Tant pis, on n'a pas le choix! dis-je résolument. Ça ne rime à rien de sacrifier tout ce pain (les trois quarts de ce qui nous restait) si on ne fait pas le maximum pour que ça marche.

Le bouillon de bœuf sentait si bon que j'en bavais presque. La pensée de hamburgers me revint d'un coup. Ce bon pain frais, tout truffé de barbituriques, de quoi assommer un éléphant, quel sacrifice! Alors qu'il ne nous restait plus, quant à nous, que trois petits pains encore à cuire, trois petits pains ridicules – après quoi nous n'aurions plus rien...

Il fallut attendre que le bouillon refroidisse pour ne pas risquer de faire fondre les comprimés, et son odeur

tentatrice nous mettait au supplice.
– Comment ferons-nous, pour le reste du pain? demanda Paula en regardant les trois petits tas de pâte en train de lever dans leurs moules. Il y en a trois, nous pourrons avoir chacun le nôtre...

Mais David secoua la tête :
– Il vaudrait mieux, pour commencer, n'en partager qu'un en trois; ils dureront plus longtemps, comme ça.
– Je me demande ce que Maman et Papa sont en train de faire, en ce moment, dit Paula d'un air rêveur, pour changer de sujet.

David s'assombrit.
– Ils sont sans doute en train de sortir de table, après un festin de première, dit-il. Mais je parie qu'ils n'y auraient pas pris tant plaisir s'ils avaient su que nous, ici, nous mourions de faim...
– Oui, mais voilà : ils n'en savent rien! dit Paula. Sinon je parie que Papa aurait déjà loué un hélicoptère ou quelque chose comme ça.

David se mit à ricaner.
– Un hélicoptère? Tu veux rire! Les hélicoptères ne peuvent pas voler par un

temps pareil. Même le peu d'oiseaux qui restent dans le secteur ne quittent pas le sol, pendant une tempête de neige... Et je vois mal comment Papa pourrait s'offrir le luxe d'affréter un hélicoptère, par-dessus le marché! Un pigeon voyageur, à la grande rigueur, et encore...

Moi, je pensais comme Paula :

– Je crois quand même qu'il essaierait de faire quelque chose. Je ne sais pas quoi, mais il essaierait. Le problème, c'est que les parents pensent que tout va bien, que Joe a rapporté des provisions, bref, qu'il n'y a pas trop de souci à se faire pour nous.

– Au fait, peut-être que le téléphone a été réparé? suggéra Paula.

– M'étonnerait, dis-je. On aurait reçu un coup de fil de Maman. La ligne doit être gravement endommagée quelque part.

– Je vais quand même essayer, dit Paula en se levant.

Le bol de bouillon ne fumait plus du tout. David en préleva une cuillerée et se justifia, penaud :

– C'était seulement pour voir s'il est assez refroidi...

– Attends que je voie ça, moi aussi, dis-je en joignant le geste à la parole.

Hélas! il était exquis. Je crois que j'aurais pu avaler tout le bol d'un seul trait.

– Il faut être équitable, dis-je. Mettons-en une cuillerée de côté pour Paula.

– A ton avis, où vaudra-t-il mieux déposer cet appât? demanda David, qui commençait à imprégner de bouillon l'un des pains à l'aspirine.

– J'imagine que le mieux, ce serait du côté de la cabane, répondis-je. Le plus loin possible de la maison et de la porcherie...

David parut réfléchir.

– Sûrement pas, finit-il par dire. Et pour deux raisons. La première, c'est que ça fait un bout de chemin pour aller là-bas; en plus du danger de se perdre, il y a le risque de se balader à découvert. La deuxième, c'est qu'il faudrait que tu restes là-bas à les attendre avec ton fusil. Si le cœur t'en dit...

Non, le cœur ne m'en disait guère. Pas tout seul, à coup sûr.

– Bon, alors, dans ce cas, il faut que ce

soit près de la maison, dis-je. Mais ce n'est pas tellement mieux. Ce ne serait pas futé de les attirer ici, si jamais notre truc ne marche pas. Imagine un peu qu'ils ne s'en aillent plus, cette fois...

Nous en étions là de nos délibérations lorsque Paula revint à la cuisine. D'après la mine qu'elle faisait, il était facile de deviner le résultat de sa tentative.

– Tiens, voilà ta part de bouillon, lui dit David. Nous étions en train de nous demander où il faudrait placer cet appât.

– Pourquoi pas près du garage? dit Paula.

Ça n'avait pas l'air idiot. Il me serait facile de tirer depuis la maison.

– Tu crois qu'ils oseront s'approcher si près d'un bâtiment en plein jour? demanda David.

– Sûrement que oui, s'ils ont aussi faim que nous! m'écriai-je.

Je ne croyais pas si bien dire. Pour oser, ils osèrent! En fait de témérité, ils en avaient plus que nous, beaucoup plus, et nous n'allions pas tarder à le savoir.

David avait découpé les cinq pains truqués en petits morceaux, chacun représentant selon nous une « bouchée » pour chien, susceptible d'être avalée en une seule fois. Il voulait à présent les porter directement en place, pendant qu'ils étaient encore bien imprégnés de bouillon, mais Paula l'arrêta. Ils étaient déjà trop froids, fit-elle remarquer. Ils auraient bientôt fait de prendre en glace, et personne ne mange de pain congelé, pas même les idiots de chiens sauvages! Elle nous pria donc d'attendre, le temps de réchauffer notre appât à four doux.

L'après-midi était déjà bien avancé lorsque Paula décréta que le pain pour chiens était à point. La tempête de neige avait un peu molli. David et moi nous équipâmes pour sortir.

David avait mis l'appât dans un sac en plastique. J'allai chercher la carabine que j'avais laissée appuyée contre le mur de la cuisine, près de la porte, depuis notre retour de la cabane.

– Grouille un peu, lambinard! me dit David, en ouvrant la porte intérieure.

Le volet extérieur fit quelques difficultés, et il dut pousser fort pour l'ouvrir, tant la neige, déjà, s'était amoncelée par-derrière. L'allée que nous avions si bien dégagée disparaissait de nouveau sous trente centimètres de neige fraîche, et nous avançâmes clopin-clopant dans l'air glacé, notre haleine émettant à chaque expiration comme de petits signaux de fumée.

Comme la tempête avait faibli, la visibilité s'était améliorée, mais il faut avouer tout de même que, entre les deux murailles de neige du chemin que nous suivions, notre vision des choses était très courte.

– Il va falloir aménager un petit abri pour l'appât, me dit David par-dessus son épaule. Sinon la neige va l'ensevelir très vite.

Arrivé à la porte du garage, David me tendit le sac pour se libérer les mains. La porte du garage, par bonheur, consistait en un volet coulissant de bas en haut, si bien que la neige ne pouvait pas la bloquer.

– Voilà toujours sur quoi déposer le festin! dis-je en désignant du bout de ma carabine une planche de contre-plaqué d'un demi-mètre carré environ. Et maintenant, avec quoi faire un toit?

– Il doit y avoir une bâche quelque part, dit David. Tu sais, celle qui nous sert en camping...

Nous étions lancés à sa recherche lorsqu'un grognement, hargneux et grave, vint me glacer le sang. C'était quelque chose d'indescriptible, entre grondement et sifflement. De quoi vous faire dresser les cheveux sur la tête.

– Pas d'affolement, me souffla David. Surtout, pas de geste brusque.

Geste brusque? J'étais paralysé de terreur.

– Viens par ici tout doucement et relève ton fusil.

David était tourné face à la porte béante, alors que je lui tournais le dos. Ce qu'il avait sous les yeux, je savais ce que c'était; et j'allais le voir à mon tour, dès que... j'aurais réussi à me tourner. Dans un effort violent pour faire obéir mes muscles, je fis lentement volte-face, tout en redressant la carabine jusqu'à l'amener à mon épaule; je débloquai du pouce le cran de sécurité.

Il était là, debout, dressé, sur le talus de neige qui nous séparait de la maison, silhouette claire sur le ciel sombre, à moins de dix mètres de nous. Un chien sauvage. Le gros. Trois autres, plus petits, semblaient attendre, derrière lui, le signal de l'attaque.

En un clin d'œil son image fut gravée en moi : il était plus gros qu'un berger allemand, il avait le poil court, gris clair, le museau effilé, les oreilles pointues et les babines retroussées sur des crocs menaçants. Ses yeux luisaient, implacables.

– Vite, John, tire! chuchota David.

Il n'avait pas besoin de me le dire, je visais déjà. Quelques secondes d'éternité, le temps d'arriver à glisser mon doigt ganté sous la gâchette... Du calme... Attention... Attention... Parfait... Je ne pouvais plus le manquer.

Je pressai la gâchette. Clic. C'est tout. Oh, non! J'avais oublié de charger! Les chargeurs étaient à la maison. En ces quelques secondes atroces, je sus ce que c'est que de prier. Je priai Dieu de nous sauver. Les chiens, visiblement, avaient senti mon désarroi. Ils se mirent à gronder, de plus en plus vite, de plus en plus fort, d'un ton plus haut.

J'abaissai mon arme et la brandis comme un gourdin. David fusa comme un éclair. Le grand chien bondit, depuis le talus, dans l'allée en contrebas, suivi des trois autres, jappant et feulant. David s'élança en avant, muni de l'extincteur, en actionnant le piston de toutes ses forces, non sans m'avoir écarté de son chemin.

Les secondes qui suivirent m'ont laissé le souvenir d'une confusion générale. Ce n'était qu'une mêlée de chiens furieux, aboyant comme des fous derrière l'immense jet de neige carbonique que David dirigeait sur eux. Il les noya sous cette écume jusqu'à ce que leurs grondements de rage se changent en hurlements de douleur. Le chef de la bande, tout couvert d'écume, repartit d'un bond sur le talus et fila au pas de course en direction des arbres, ses compères se traînant sur ses talons.

8. Paula en disgrâce

Je ne pouvais plus bouger. Ni dire un mot. Mes muscles n'avaient pas la force de maîtriser le violent tremblement qui venait de s'emparer de moi. David non plus, d'ailleurs, ne bougeait ni ne disait mot. Il restait là, piqué, tenant encore bien haut son extincteur, qui crachouillait ses derniers postillons d'écume blanche. Je me sentais comme cet engin : vidé.

Enfin, peu à peu, mes grandes convulsions s'apaisèrent en petits tremblements, par saccades. Ma tête se remit à fonctionner, mais ce fut pour retrouver cette vérité cuisante, celle de ma propre stupidité. Oublier les chargeurs. Rien que d'y penser, j'en avais le moral à zéro, ou même au-dessous. A cause de moi, à cause de cette ânerie, nous avions bien failli nous faire mettre en pièces. Ou même, pire encore, David aurait pu se faire déchiqueter tandis que j'aurais survécu, grâce à quelque miracle, pour porter éternellement la responsabilité de sa mort. Cette idée me lancinait. Et je revivais sans trêve la scène fatale : ce chien sauvage dressé en silhouette contre le ciel, droit dans la ligne de mire, le sentiment de triomphe assuré qui me chauffait le cœur tandis que je pressais sur la gâchette, et puis clic. L'insoutenable clic de mon arme vide.

Comment allais-je pouvoir me justifier auprès de David? Que dire de mon inconscience, de mon ignominie? Et Paula, qu'allait-elle penser de moi? Ils ne me feraient plus jamais confiance.

David se tourna vers moi. Ses yeux brillaient de l'excitation d'avoir mis les fauves en déroute. Il avait été formidable. Son extraordinaire présence d'esprit nous avait sauvé la vie, et je le voyais d'un regard neuf et chargé d'admiration. Ma propre inconséquence ne m'en paraissait que plus inacceptable.

– On a eu du pot, mon vieux! dit David. Une veine que Papa ait acheté tous ces extincteurs!

Nous avions tous bien ri, le jour où Papa était revenu à la maison avec une demi-douzaine d'extincteurs rouge feu dans le coffre. « Six précautions valent mieux qu'une, avait-il dit. Ici, tout est en bois, et nous sommes loin de tout! » Il en avait placé trois dans la maison, un dans la cabane, un autre dans la grange et le dernier dans le garage – celui que nous venions de vider.

– Trop bête que ce fusil se soit enrayé! dit David en me tournant le dos pour remettre l'engin dans le garage.

– En... rayé? bredouillai-je faiblement.

– Oui, enrayé. Comment tu appelles ça, toi, quand le coup ne part pas? Il a bien fallu que ça s'enraye quelque part. J'imagine que c'est le froid, une histoire de graissage et d'huile gelée ou quelque chose dans ce goût-là. Maintenant, on ferait mieux de rapporter cet appât à la maison. Il n'y a guère de chance pour qu'ils reviennent par ici avant un bout de temps.

Tout en marchant vers la maison, avec l'appât et le matériel destiné à l'abriter, je remâchais mon tourment sans mot dire. Ainsi donc, David croyait à un ennui technique. L'idée ne l'effleurait pas que j'aie pu oublier de charger le fusil. Qui aurait pu être bête à ce point? C'était impensable, voyons!

Je me débattis avec ma conscience tout le long de ce bref trajet. Quelque chose me répétait qu'il fallait dire la vérité, que l'affaire était grave, qu'il s'agissait de la vie de David et de la mienne... Mais, d'un autre côté, si je disais la vérité, quel bien en sortirait-il? Aucun. Au contraire, tout ce que nous y gagnerions, ce serait que ni Paula ni David n'auraient plus confiance en moi. En ces moments difficiles où nous avions justement, en raison du danger, un immense besoin de pouvoir nous faire confiance mutuellement... On ne pouvait pas compter sur moi, la preuve en était faite; fallait-il le leur dire, au risque de les affoler? Pourtant, pourtant, j'en étais convaincu, je leur devais la vérité – à David, particulièrement. Alors?

Paula vint à notre rencontre en courant, cramponnée à son tisonnier. Elle avait assisté à toute la scène par la fenêtre.

– Que s'est-il passé? demanda-t-elle, hors d'haleine. Pourquoi n'as-tu pas tiré, John?

– Le fusil s'est enrayé, dit David. Une veine qu'on ait eu cet extincteur sous la main.

Ma décision était prise, je ne mentirais pas, mais je ne donnerais pas non plus de précisions sur l'affaire. Et je leur raconterais le fin mot de l'histoire seulement quand nous serions hors de danger.

– Tu aurais dû voir David, dis-je vivement. Il a été terrible. Il a fait brailler ce grand chien comme un chiot nouveau-né!

David rayonnait. Il pouvait être fier.

– Je trouve que vous avez été drôlement courageux, tous les deux! dit Paula. Moi, je me serais évanouie, c'est sûr.

Je n'en croyais rien, pas plus que David. Paula serait plutôt du genre à se défendre comme une tigresse.

De retour à la maison, elle nous fit chauffer de l'eau sucrée, tandis que nous commentions inlassablement l'épisode.

– Tu aurais vu les dents qu'il avait...! disait David, en réponse aux questions de Paula sur le plus gros de nos assaillants. Plus longues que celles de Dracula, n'est-ce pas, John? Tu n'as pas eu peur, toi?

– J'étais terrorisé, tu veux dire!

– Eh bien, moi aussi! Pourtant, c'est bizarre, je trouvais que tu n'en avais pas l'air. Quand la carabine a foiré, j'ai bien cru que tu allais les attaquer, comme ça, en te servant de la crosse comme d'un gourdin! Tu avais l'air prêt à les assommer.

– Fallait faire quelque chose, marmottai-je, en rougissant mentalement de l'éloge immérité.

Pourtant, c'était bon de savoir que David avait eu aussi peur que moi, et aussi qu'il me faisait pleinement confiance, même si cette confiance était un peu déplacée... Je commençais à aimer mon frère bien mieux qu'avant.

– Qu'est-ce qui t'a fait penser à attraper l'extincteur? C'était bien trouvé.

– Je ne sais pas, dit modestement David. Mais je n'avais rien, pas d'arme, et c'est la première chose qui m'est tombée sous les yeux. Un coup de pot, je t'assure.

– Il serait bien temps que nous en ayons un peu, de la chance! s'écria Paula. Jusqu'à maintenant, rien n'a tourné rond depuis que nous avons quitté l'école.

L'école. Elle me semblait à des millions d'années-lumière. Je laissai échapper un petit rire : l'image de Pousse-Coude aux prises avec une meute de chiens sauvages venait de surgir dans mon esprit... Tout de même! Quelle belle histoire à raconter aux copains quand nous retournerions en classe!... si nous y retournions un jour.

– J'ai bien peur qu'il ne faille déposer cet appât près de la cabane, finalement, était en train de dire David. Et le plus tôt serait le mieux. Après, il fera noir.

– Cette fois, je viens avec vous! dit Paula avec force.

– Non, dit David. Il vaut mieux pas, et ce n'est pas la peine. Il ne devrait pas y avoir de problème. Ce qui tombe maintenant, c'est trois fois rien, on ne risque pas de se perdre. Alors, on y va... Tu ferais peut-être bien de nettoyer la carabine d'abord, John, non ? Si jamais on en avait besoin, j'aimerais autant qu'elle fonctionne !

J'acquiesçai et pris un chiffon propre dans un tiroir. Là, j'aggravais mon cas. Faire semblant de débarrasser d'une poussière imaginaire la culasse et la tête mobile, c'était franchement mentir. Je savais très bien que cette carabine était en parfait état de marche. « Après tout, pensai-je, si cela peut les rassurer, le mensonge n'est pas si grave. »

Pour les rassurer tout à fait, je fis quelques pas dehors, chargeai l'arme et tirai un coup en l'air.

Le bruit de la détonation roula violemment dans l'air immobile des alentours. Je serrai les paupières pour faire un vœu : que la balle perdue s'en aille retomber sur l'odieux museau du chef de la meute. Mais c'était beaucoup demander.

Dès mon retour à la cuisine, David marqua son approbation.

– C'est vraiment trop bête qu'elle n'ait pas fait ça du premier coup, tout à l'heure, dit-il. Si on avait tué leur chef, les autres seraient repartis une fois pour toutes.

Paula m'aida à me harnacher et fixa les raquettes à mes bottes. David, fort généreusement, avait décrété que c'était à moi qu'elles étaient nécessaires, pour des raisons de stabilité au cas où j'aurais à tirer. Je n'avais pas discuté cet avis, bien sûr. Et cette fois, avant de sortir, je me bourrai les poches de munitions, et vérifiai à plusieurs reprises que j'avais bien chargé mon arme. On ne m'y reprendrait plus.

Nous avions devant nous une heure et demie de grand jour. C'était plus qu'il ne nous en fallait pour aller déposer l'appât.

– A ton avis, dit David en inspectant le ciel, crois-tu qu'il faille absolument abriter notre marchandise?

Le ciel s'était fortement éclairci, mais rien ne prouvait qu'il n'allait pas neiger encore.

– Je n'en suis pas si sûr, dis-je. Ce que je crains, si nous installons un petit dispositif pour l'abriter, c'est que ça les rende méfiants.

Pour finir, l'idée d'abri fut abandonnée. Nous nous contentâmes d'éparpiller nos bouchées empoisonnées aux alentours de la cabane, telles quelles, à même le sol. Le tout paraissait assez naturel, un peu comme des reliefs de repas qu'on aurait jetés par la fenêtre.

Le contre-plaqué et la bâche furent déposés dans la cabane.

– Donc, maintenant, je reste ici, dis-je. S'ils reviennent avant la nuit, je pourrai tirer dessus. Mais toi, tu peux repartir.

Il me convenait de rester seul. J'aurais l'impression de réparer ma faute, de me racheter. Ce n'était plus tellement envers David et Paula que je me sentais coupable, puisque je m'étais promis de tout leur dire, plus tard. Non, c'est avec moi-même que cela n'allait guère, c'est à mes propres yeux qu'il me fallait me racheter. Et c'est sûrement, je le sais maintenant, la pire des situations.

– Tu sais, dit David lentement, j'y ai

pensé, moi aussi... Je ne crois pas que ce soit la bonne solution, que tu restes là avec la carabine. Parce que ça veut dire que je dois rentrer seul, et je n'aurai que mes jambes en cas de mauvaise rencontre! Je n'y tiens pas, crois-moi!

– Ah! ouais..., dus-je admettre à regret. Alors, reste avec moi.

Mais David secoua la tête.

– C'est Paula qui serait toute seule. Non, tant pis, le mieux est de rentrer tous les deux à la maison. Il nous reste à espérer que tout ira pour le mieux et que le poison opérera.

Ce fut une bonne nuit pour tous trois. Longue et entière... Ce ne fut pas tout à fait voulu : nous avions distribué les tours de garde. Mais c'était Paula qui avait voulu veiller la première; censée réveiller David à minuit, elle s'était en fait endormie et nul n'avait sonné les heures de relève.

– Ma vieille, avec un coup comme ça, tu te ferais fusiller, à l'armée! dit David, furieux.

Paula lui répondit d'une grimace. Être dans les petits papiers d'autrui est le cadet de ses soucis (simple question de tempérament), et je lui enviais plus que jamais cette faculté de s'en moquer.

– Ce n'est vrai qu'en temps de guerre, rectifiai-je. On ne fusille pas pour si peu en temps de paix.

– Et alors? s'indigna David. On n'est pas en temps de guerre, peut-être? A nous battre contre une bande de chiens sauvages? Vous pouvez me croire que s'ils arrivent à entrer ici pendant que nous dormons, nous avons perdu d'avance!

Paula lui décocha un regard glacial.

– Arrête donc de faire tout ce pétard, bon sang! dit-elle. Puisque c'est passé, de toute façon!

« Fichtre, me dis-je, j'ai rudement bien fait de me taire, pour hier. Tout ce bruit pour une faute de veille! Qu'aurait-il dit pour la carabine vide? »

– Le bon côté de l'affaire, dis-je d'une voix conciliante, c'est qu'au moins nous avons bien dormi. Et nous en avions besoin, après la journée d'hier.

Mais David conserva un air renfrogné

qu'il comptait visiblement cultiver toute la journée.

Paula saisit l'un des deux derniers petits pains qui restaient, et en coupa deux tranches pour moi, puis deux pour elle-même. Après quoi, ostensiblement, elle poussa le quignon restant en direction de David.

Deux jours s'étaient écoulés, à présent, depuis que nous avions fait notre dernier repas, et le manque de nourriture commençait réellement à nous mettre les nerfs à vif. Le pain de fortune, jusqu'à présent, sans nous rassasier, nous avait du moins épargné de souffrir trop cruellement. Mais il n'en restait plus qu'un seul, un tout petit. Or, nulle aide ne semblait devoir arriver vite. Venait s'ajouter à cela le souci de Joe. Où pouvait-il être? Et en quel état? Il avait trop de retard, dorénavant, pour que l'on pût écarter l'hypothèse de graves ennuis de son côté...

David et Paula continuaient à se regarder en chiens de faïence.

– Oh! arrêtez, maintenant, vous deux! leur dis-je. Vous croyez que nous n'avons pas assez d'ennuis comme ça? Vous voyez bien que c'est la faim qui nous met tous de si mauvaise humeur!

David m'adressa un regard qui en disait long : sa mauvaise humeur, il y tenait, et j'avais intérêt à ne pas en détourner le cours. Je lui rendis son regard, sans sourciller, jusqu'à ce que je le visse clairement se débattre avec lui-même. Mais déjà Paula n'avait plus envie de bouder et c'est elle qui fit le premier pas :

– Je crois bien que tu as raison, John, dit-elle avec un sourire un peu forcé. Je suis désolée, tu sais, David. C'est vrai que je n'aurais pas dû m'endormir comme ça... Mais je crois bien que j'étais trop fatiguée pour tenir le coup.

– Bon. Moi aussi, je te demande pardon. J'ai dit des choses en trop...

– Alors, je ne serai pas fusillée?

– Non, dit David en riant. Non, Tu es réintégrée dans les rangs.

A présent que l'atmosphère s'était allégée, les choses ne semblaient plus si terribles. Ce qu'il fallait maintenant c'était réfléchir, mettre sur pied un plan d'action. Mais d'abord, une chose me tenait à cœur, c'était de bondir à la cabane pour voir si notre appât avait disparu.

– Écoutez! dis-je avec entrain. Je ne sais pas ce qui me fait dire ça, mais je sens qu'aujourd'hui la chance va nous revenir!

9. V comme Victoire

Il fallait avant tout, bien sûr, aller nourrir les cochons. Paula y tenait absolument.

– Ce n'est pas parce que nous, nous restons le ventre vide qu'ils doivent jeûner eux aussi, disait-elle.

Dès notre arrivée dans l'enclos, les cochons se lancèrent dans un grand concert de cris de joie, une vaste cacophonie de grognements, de glapissements et de reniflements excités. Ils pouvaient voir la vie en rose, eux, au moins, car ils allaient manger... Je crois que j'aurais fait un beau hourvari, moi aussi, à cet instant, si l'on m'avait annoncé la venue d'un bon repas!

Tandis que Paula et moi préparions leur mixture, David, l'œil affamé, reniflait de très près une poignée de leur aliment composé. Je le vis, du coin de l'œil, grignoter du bout des dents, l'air précautionneux, un petit échantillon de cet aliment sec, et le recracher vivement avec une grimace si éloquente que j'éclatai de rire.

– Beuârk! Non, j'aimerais mieux mourir que d'avaler ça, conclut-il en s'essuyant les lèvres avec dégoût.

– Henry aime bien ça, pourtant, dit Paula. N'est-ce pas, Henry?

Elle déversa la bouillie dans l'auge et je contemplai, fasciné, les cochons engloutissant avidement leur pitance, à grand renfort de gargouillis et de bousculades, où les plus petits se faisaient mettre de côté par les plus gros.

Paula était en train de parler à Henry, qui d'ailleurs était trop occupé pour l'écouter le moins du monde, lorsque David me tapa sur l'épaule et m'entraîna à l'écart.

– Il va falloir se décider à en tuer un..., dit-il. C'est une chose que tu as déjà dû admettre comme moi, j'imagine?

Depuis le début de notre disette, je m'étais efforcé de ne pas songer aux cochons.

Au tout début, ç'avait été facile : Joe allait revenir, n'est-ce pas? Mais ma faim devenait féroce, depuis hier, et il devenait de plus en plus clair qu'il nous faudrait nous débrouiller seuls encore un certain temps.

Nous savions tous trois, sans vouloir l'énoncer, qu'un seul coup de feu suffisait pour résoudre cette question de nourriture. David pensait que le moment était venu, Paula ne voulait pas seulement en parler, et moi, je ne savais trop qu'en penser. La différence est grande, je le sentais nettement, entre manger du jambon acheté au supermarché et tuer un animal sur pied pour le manger. Surtout quand c'est à vous de tuer la bête, et plus encore si vous vous êtes laissé émouvoir, des semaines durant, à regarder grandir cet animal que vous avez vu naître, qui en est devenu un compagnon familier, presque comme un chat ou un chien. Papa nous avait prévenus que nous risquions ce genre de crève-cœur, mais nous n'aurions jamais imaginé devoir prendre un jour une décision aussi dramatique.

Paula leva les yeux, surprit notre conciliabule et devina immédiatement de quoi il était question. Ces étranges lueurs de faim canine dans les yeux de David, sans doute... Elle ne dit rien, mais son expression se durcit et elle fit non de la tête.

Sentant monter un nouvel orage, je tentai d'en détourner le cours.

– Si on allait voir à la cabane? On pourra peut-être savoir si notre traquenard a marché?

Paula regardait tout autour d'elle, le front soucieux. Je me dis qu'elle devait se rendre compte qu'elle ne pouvait plus repousser l'heure du drame, et j'en eus de la peine pour elle. Mais c'était la triste vérité : nous allions devoir sacrifier un cochon tôt ou tard.

– Attendez une minute! nous dit-elle comme nous sortions.

Elle était en train d'étudier la composition de l'aliment pour cochons, sur l'étiquette de l'un des grands sacs entreposés au fond de la grange.

– Écoutez-moi ça, dit-elle : « Céréales moulues (blé, orge, maïs) et sels minéraux. » A votre avis, est-ce qu'on pourrait en manger?... Oh! oui, sûrement, pourquoi pas? enchaînait-elle, se chargeant elle-même des questions et des réponses. Après tout, nous prenons bien des céréales tous les jours nous aussi, non? Simplement, elles ne sont pas sous la même forme...

David fit la grimace.

– J'ai essayé. C'est immangeable. Ça ne m'étonnerait pas que ce soit poison pour nous. En tout cas, tu peux toujours courir pour que j'en mange.

Paula n'en balança pas moins un sac tout neuf sur son épaule, et ploya sous son poids.

– Allez sans moi à la cabane, dit-elle. On se retrouve à la maison. J'emporte ça pour voir si je peux en faire quelque chose.

Nous verrouillâmes la porte de la grange et je surveillai le retour de Paula jusqu'à la maison.

– Elle est complètement folle, dit David. Si elle se figure qu'elle me fera avaler de ce qu'elle va cuisiner avec!...
– De toute façon, dis-je, ça ne peut pas être poison. C'est évident, voyons!
– On voit bien que tu n'y as pas goûté.

– Il fait plus froid que tout à l'heure, remarquai-je.

Nous cheminions en direction de la cabane, et j'avançais lentement pour ne pas distancer David. Il pataugeait dans la neige molle alors que je glissais sur les raquettes.

– C'est le vent, dit-il brièvement.

Je crois qu'il commençait à regretter sa décision de me laisser les raquettes en permanence, à cause du fusil et des chiens. Il était sans doute en train de réfléchir à la façon de présenter les choses, pour me convaincre que ce serait mieux de les avoir chacun à son tour.

Je le laissai donc méditer là-dessus et concentrai mon attention sur le vent qui venait de se lever. Il n'était pas assez fort pour déplacer réellement beaucoup de neige, mais il aggravait considérablement la sensation de froid. J'en avais les joues cuisantes.

Il soufflait du nord et apportait encore un peu plus de nuages. De toute la nuit, il n'avait pas neigé (et c'était une chance pour nous, sinon notre appât eût été enseveli); mais si ce vent se maintenait, à coup sûr, nous étions bons pour une nouvelle ration de neige, et pas qu'un peu, probablement!

Je regardai rouler dans le ciel les sombres nuages porteurs de neige, et doutai pour la première fois que ce fût vraiment une belle chance que d'habiter une zone d'enneigement. Puis me revint le souvenir de ce premier matin éblouissant, deux jours plus tôt, et cette image étincelante me redonna un peu d'optimisme.

Nous cheminions tous deux en silence, chacun suivant le fil de ses propres pensées, et la cabane surgit bientôt devant nous. N'en pouvant plus d'attendre pour savoir si notre offrande avait disparu ou non, je m'élançai en avant.

Elle avait disparu. Il n'en restait pas une miette.

– Il n'y a plus rien! hurlai-je, fou de joie. Ils ont tout pris! Tout! Youkkouououou!

David me rejoignit, le sourire jusqu'aux oreilles. La nouvelle, visiblement, lui faisait le même effet qu'à moi. C'était comme un grand nuage qui se retire. Tout en était plus lumineux, soudain.

Ce fut alors l'étude attentive des traces laissées par nos visiteurs. Elles n'étaient pas aussi profondes que celles de la dernière fois, sans doute parce que la neige avait durci, mais les empreintes étaient tout de même bien nettes, bien imprimées. Le flair des chiens, apparemment, leur avait permis de se diriger d'abord droit sur l'appât; après quoi, ils avaient dû fureter, tout autour de la cabane, dans l'espoir d'en trouver d'autres; enfin, la piste repartait en direction des arbres...

Oui, mais maintenant, qu'allions-nous faire? Dans le feu de notre excitation, nous avions négligé la question. Il était temps d'en débattre.

J'étais d'avis qu'il fallait absolument

suivre ces traces, mais David se montrait plus prudent.

– Rien ne nous prouve que notre stratagème a marché. Et s'ils étaient en pleine forme, au contraire?

J'envoyai sa prudence au diable.

– Mais enfin, ça ne peut pas rater, un truc comme ça! Tu as vu ce qu'on a mis, comme pilules somnifères? De quoi tuer un éléphant! Et il y a l'aspirine, aussi, n'oublie pas.

David n'était pas convaincu.

– Justement, peut-être qu'on a eu tort d'utiliser les deux. Tu ne vois pas, si l'aspirine allait leur faire tout vomir? Ça vomit facilement, les chiens... Ou peut-être que l'aspirine répare le mal fait par les somnifères? Je ne sais pas, moi... Non, on n'aurait pas dû mettre les deux.

– Pour ça, c'est trop tard, dis-je. Il fallait y penser avant. Mais ce qu'il faut surtout, maintenant, c'est savoir le résultat. Ce serait complètement idiot de ne pas chercher à savoir pour de bon ce qui leur est arrivé.

– Mais nous ne savons même pas quand ils les ont avalées, ces drogues! insista

David. Et s'ils ne les avaient prises que tout à l'heure, hein? Il y a dix minutes, par exemple? Ce serait malin de leur courir après, alors que le poison n'a pas eu le temps d'opérer, hein? Ce n'est pas que j'aie peur, non, pas du tout. Mais ça me paraît plus futé d'attendre demain matin.

Je soutins mordicus que c'était tout le contraire. Il ne fallait pas perdre une minute. Je n'en avais encore rien dit à David, mais j'avais l'intention, sitôt que le danger des chiens serait écarté, de me lancer à la recherche de Joe. Et le temps pressait.

– On ne peut pas savoir, dis-je. Peut-être que les somnifères vont seulement les endormir un bout de temps. Et dans ce cas-là, demain, si ça se trouve, ils seront encore là à rôder, avec peut-être un bon mal de crâne et des crampes d'estomac, plus féroces que jamais! Et puis, écoute, ajoutai-je en brandissant le fusil, j'ai encore un plein chargeur là-dedans, et ça ne risque plus de s'enrayer, je te le garantis!

Il parut hésiter.

– Bon, allez, on y va, finit-il par dire. On les suit à la trace.

Je pris la tête de l'expédition, puisque j'avais une arme. Je portais le fusil exactement comme Joe me l'avait appris, le nez vers le bas et le cran de sécurité verrouillé. Ce cran de sécurité, il ne faudrait pas oublier de le faire sauter, au cas où je devrais tirer. L'idée de l'oublier me hantait, et je ne voulais pourtant pas manquer ma deuxième chance, si deuxième chance il y avait.

– Eh, dis donc! hurla David, que j'avais déjà semé. Tu m'attends ou quoi?

Il n'avait pas de raquettes, je l'avais oublié. Je fis halte pour l'attendre, et le regardai patouiller dans la neige épaisse sans pouvoir m'empêcher de sourire.

– Ah! tu es bon, toi! Tu ne pourrais pas aller encore un peu plus vite, non? Pendant que tu y es, laisse-moi tout seul! Comme ça, si jamais les chiens reviennent par-derrière, qui sera fait comme un rat? Pas de fusil, rien qu'une hache : je serai dans de beaux draps!

J'éclatai de rire à la seule idée de David faisant tournoyer sa hache au-dessus de sa tête, pour tenir en respect une meute de chiens sauvages. Cela n'avait pourtant rien de drôle en réalité, je le savais bien, mais c'était plus fort que moi et j'en ris aux larmes. Pour finir, David se laissa contaminer par le fou rire et bientôt tous deux nous nous tenions les côtes, debout dans la neige. Je crois qu'en fait nous nous défoulions, que nous laissions aller le trop-plein de tension nerveuse accumulée ces jours derniers.

– Bon, si on continuait? finit par articuler David. Seulement, cette fois, tâche de ne pas me semer. Marche moins vite.

Les affaires sérieuses reprenaient leurs droits. Nous avions pour mission de suivre la piste d'une bande de chiens sauvages...

C'était la première fois que nous allions dans les bois depuis qu'il avait neigé. Le paysage était tout différent de celui que nous avions connu cet été, c'était presque un autre monde. Les broussailles et les arbrisseaux du sous-bois, au lieu de leur silhouette familière, prenaient l'allure de grosses bêtes blanches, étranges et bossues, faisant le dos rond sous la rigueur du temps. Les branches, ployées sous la neige, prenaient des poses bizarres et notre progression, par endroits, réclamait la plus grande prudence, tant l'épaisseur de la neige sous nos pieds variait d'un instant à l'autre.

Et nous suivîmes la piste sans fin. Au bout d'un quart d'heure, ou davantage peut-être, je commençai à me faire du tourment : rien, absolument rien ne nous permettait de penser que nous étions en train de les rattraper. Avions-nous bien fait, finalement, de nous lancer à leur poursuite? Jusqu'où cela nous mènerait-il? Et si nous nous perdions, maintenant? David commençait à fatiguer sérieusement, à la longue, à force de s'enfoncer à chaque pas. J'aurais dû y aller seul, c'était sûr : sans raquettes, c'était de la folie...

C'est alors que, par bonheur, surgit le tout premier indice. Nos drogues faisaient peut-être de l'effet, tout de même? J'indiquai à David l'empreinte qui me le faisait croire.

– Il y en a un qui a dû tomber, par ici.

Regarde, on dirait bien la trace d'une chute.

Les empreintes de pattes, à partir de là, devenaient de moins en moins régulières, un peu comme si certains des chiens avaient eu le pas mal assuré.

– Dis, il faudrait peut-être faire attention, maintenant, me souffla David, légèrement haletant. Ils ne sont sans doute plus très loin...

Nous continuâmes d'avancer, mais en ralentissant le pas. Je marchais toujours en avant, David sur les talons, tellement près de moi que je sentais son souffle dans mon cou. Je l'entendis soudain suffoquer, le souffle coupé net, et mon cœur fit un bond. Sa main venait de m'agripper par l'épaule et mon sang se glaça. Qu'avait-il vu ou entendu? Je n'en savais encore rien, mais sa terreur était si violente qu'elle passait en moi comme un courant électrique.

Puis sa respiration reprit enfin, courte, saccadée, un souffle de panique intense qui le faisait chevroter :

– Là... John... Là...

Il chuchotait si bas que c'est à peine si

je pouvais l'entendre. Sa main désignait vaguement, sur notre gauche, le sous-bois écrasé de neige, vers lequel menaient d'autres traces de pattes. Celles-là, je ne les avais pas remarquées. J'étais tellement absorbé par la poursuite de la piste principale que j'avais manqué, là, sous mon nez, l'embranchement de cette piste secondaire.

La panique de David s'empara brusquement de moi. Une énorme vague de terreur aveugle venait de me submerger. Nous étions perdus. La meute nous assiégeait de toutes parts, immobile, muette, en train de nous épier haineusement, prête à bondir sur nous au moindre faux mouvement, les yeux injectés de sang, les gueules béantes et les crocs à nu, sur un fond de grondements féroces.

– On essaie de reculer tout doucement...

Le chuchotis de David me parvint comme dans un rêve et je pivotai, tel un somnambule surpris en plein cauchemar. Puis la fermeté d'âme me revint (ou me vint) de je ne sais où, et avec elle la résolution de ne pas manquer mon coup une deuxième fois. Non, c'était impossible. Si je flanchais cette fois, je ne serais plus jamais capable de reprendre confiance en moi. Réfléchir d'abord, me dis-je. Avant de faire quoi que ce soit, réfléchir. Et vite.

La piste secondaire était double. S'agissait-il d'empreintes anciennes ou bien de celles, toutes récentes, de deux des chiens que nous suivions?

– Dépêche-toi, viens..., me chuchotait David avec insistance. Qu'attends-tu donc? Arrachons-nous de là pendant qu'il est temps...

Je fis non du menton, fermement décidé à aller jusqu'au bout de notre entreprise.

– Ce sont peut-être des traces anciennes, de la même bande? De toute façon, il faut aller voir. Il le faut.

Je me libérai de sa poigne et commençai d'avancer, la crosse du fusil sur l'épaule, le canon pointé vers l'avant, légèrement tourné vers le sol. J'avais le pouce sur le cran d'arrêt, le doigt dans le pontet, tout prêt à appuyer sur la gâ-

chette. Je serais paré pour tirer, même s'ils nous sautaient dessus.

– Là! cria soudain David d'une voix-rauque.

Mais je les avais déjà vus. Ils étaient à six ou sept mètres. Des chiens sauvages, silhouettes sombres sur la neige blanche. Trois d'entre eux se tenaient vaguement tapis, assis sur leur arrière-train; les autres, plantés sur leurs pattes, se mirent à gronder en nous voyant.

Leur chef était là, indiscutablement c'était lui, deux fois plus gros que les autres ou presque, vraisemblablement celui-là même qui nous avait attaqués près du garage, combatif et entreprenant... La drogue absorbée, apparemment, ne l'avait pas affecté le moins du monde, et le souvenir fulgurant de la rapidité de ses mouvements me revint. Il nous avait vus, lui aussi, et il s'élança comme l'éclair. Mais déjà je l'avais visé; je fis sauter le cran d'arrêt et, son poitrail dans ma ligne de mire, je pressai sur la gâchette.

Le coup retentit, le recul du fusil me heurta l'épaule avec force, tandis que l'animal s'écroulait. Un bref remue-ménage s'ensuivit et, le cœur battant la chamade, je m'affairai pour éjecter la cartouche usée et recharger mon arme au plus vite, en priant le ciel pour qu'elle ne s'enraye pas. Mais ce n'était pas la peine d'y mettre tant de hâte : le reste de la bande détalait déjà, la perte de leur chef leur ôtant toute témérité. Les uns disparurent comme l'éclair, les autres se traînèrent tant bien que mal, sous l'effet, sans doute, de l'appât drogué. J'escortai leur retraite, pour le principe, d'une dernière cartouche, et tout fut terminé.

Le chef de la meute gisait dans la neige, étendu sur le flanc. Même ainsi, raide mort, il avait l'air féroce. Nous l'examinâmes prudemment, mais c'était bien fini pour lui.

Oui, c'était fini. Nous avions gagné.

10. La longue marche

Le retour à la maison s'effectua dans l'euphorie. Je me sentais grandi, sûr de moi, invincible. Et *Les Arpents* redevenaient terre de joie et de liberté.

De liberté, oui, me disais-je. La menace des chiens nous l'avait volée. Et puis là-dessus, plus que tout, ce qui m'exaltait jusqu'au délire, c'était de nous en être sortis seuls. J'avais peine à y croire, mais c'était vrai. Et je ne cessais de bercer cette idée tout en marchant : seuls, sans aucune aide, nous nous en étions dépêtrés seuls.

Un nuage noir, pourtant, obscurcissait l'horizon, au fin fond de mes pensées.

Oh! je savais ce que c'était! Et je savais tout l'égoïsme qu'il y avait à lui tourner le dos délibérément. Mais c'était plus fort que moi : il fallait que je déguste, d'abord et jusqu'au bout, le sentiment de joie qui me venait de notre victoire.

David allait devant, maintenant; je lui avais laissé les raquettes pour le reste du parcours. Cela m'était bien égal de patauger un peu à mon tour, d'autant plus qu'en contrepartie c'était lui qui portait la carabine. Si bien que j'avais les mains libres, et tout le loisir de faire des boules de neige, juste comme j'étais d'humeur à en faire!

J'en confectionnai une belle, bien grosse, et visai délibérément la branche surchargée de neige sous laquelle David s'avançait. Une copieuse avalanche de neige poudreuse s'abattit sur ses épaules et lui fit rentrer le cou comme une tortue.

– Tu n'as qu'à m'attendre un peu! lui hurlai-je en réponse au juron qu'il m'avait lancé.

Ce retour nous parut beaucoup plus bref que l'aller et bientôt, un peu titubants, nous faisions irruption dans la maison sans prendre le temps de nous ébrouer, laissant derrière nous une traînée de neige fondante. Nous n'avions pas une seconde à perdre, il fallait tout dire à Paula. Ses yeux brillèrent d'excitation à la nouvelle de la mort du chef.

– Formidable ! s'écria-t-elle avec un accent d'admiration. Alors comme ça, maintenant, on peut sortir de la maison quand on veut ? Aller où on veut ?

– Sûrement ! certifiai-je. Où on veut et quand on veut. Ils n'y reviendront plus. Tiens, par exemple, ce qu'on pourrait faire, c'est enlever la neige qui recouvre la glace du ruisseau, préparer un bon feu et faire une partie de patinage !

– Ouais ! Bonne idée ! s'enthousiasma David. Dès cet après-midi, on y va.

– Non, coupai-je. Il y a autre chose à faire d'abord. Partir à la recherche de Joe.

Paula intervint :

– D'abord et avant tout, on va manger quelque chose. Enlevez vos anoraks et à table !

Mon estomac fit un saut de joie, les

yeux de David s'éclairèrent. Paula avait-elle mis la main sur quelque provision oubliée? Mais déjà David demandait, soupçonneux :

– Pas de l'aliment porcin, j'espère?

– Enlevez vos anoraks et à table! se contenta de répondre Paula.

Une casserole couverte mijotait tranquillement sur un angle du poêle, et un étrange fumet s'échappait du four. C'était une odeur impossible à identifier, mais qui chatouillait agréablement nos narines affamées.

Le temps de nous dévêtir un peu et Paula, déjà, avait servi dans nos assiettes trois rations d'une étrange chose qui pouvait évoquer le porridge. Ou la bouillie. Ou la polenta. Ou une colle de pâte du même style. C'était encore tout fumant et chacun s'employa d'abord à souffler dessus. Paula saupoudra généreusement de sucre la surface de cette mixture.

– C'est meilleur avec beaucoup de sucre, expliqua-t-elle.

– C'est de l'aliment pour cochons, dit David, accusateur.

– Ce sont des céréales, répliqua Paula calmement, en portant à sa bouche la première cuillerée.

Je l'imitai avec circonspection, ne sachant trop à quoi m'attendre. La surprise fut entière. C'était bon.

– Fameux! commentai-je. Là, David, tu devrais goûter! Dis-toi que ce sont des céréales. Tu verras, c'est délicieux.

David me regarda, les sourcils levés.

– Admettons... Ma foi, ça paraît comestible, en tout cas...

Comestible, ça l'était. Les assiettes furent bientôt vides et chacun prit une seconde ration, qui disparut tout aussi vite. David se carra contre le dossier de sa chaise et je l'imitai, avec un sentiment de bien-être.

– Eh bien, c'était bon, reconnut David. Et je me sens bougrement mieux, déjà. Premier vrai repas chaud depuis trois jours! Ça vous requinque un homme...

– Et ce n'est pas tout! dit Paula, un éclair de triomphe dans les yeux.

Elle sortit du four le second mystère et nous servit à chacun une portion d'un gros gâteau très brun. Cela ressem-

blait un peu à une galette trop cuite.
– Ah! Paula, tu as encore gagné! dis-je, la bouche encore pleine de la première bouchée.
– Alors, on ne parle plus de petit cochon grillé? demanda-t-elle avec un sourire.
– On ne parle plus de petit cochon grillé, lui promit David en écho.

Il y eut un long silence heureux, le temps de mâcher et de déglutir avec application l'étrange mets. Après quoi, et comme nous soupirions d'aise pour la première fois depuis une éternité, je leur reparlai de Joe.

– L'ennui, dit David, c'est que je ne vois pas trop ce que nous pouvons faire. Nous n'avons pas la moindre idée de l'endroit où il peut être, et ce serait trop risqué de sortir de notre propriété, nous sommes à peu près sûrs de nous perdre. Ça m'étonnerait qu'il ait pris les sentiers battus ou les chemins. Il a dû plutôt couper à travers le sous-bois, et comme il a neigé hier nous ne pourrons même pas trouver de traces.

Il avait raison et je le savais : ce serait difficile. Mais j'avais déjà beaucoup réfléchi à ce sujet; et le plan que j'avais élaboré devait pouvoir marcher, j'en étais sûr.

Je me levai pour prendre la carte d'état-major de notre région dans les affaires de Papa et l'étalai sur la table de la cuisine.

– Voilà, dis-je. Ça, c'est la maison. (J'indiquais du doigt un petit rectangle, juste au sud d'une ligne tourmentée qui devait représenter la crête de rochers qui traversait notre terrain.) Et là, c'est la ferme Brown. Joe a sûrement coupé court pour aller chez Brown, si bien qu'il a dû passer par là, par là, par là... (Je faisais glisser mon doigt sur un tracé imaginaire reliant les deux fermes à peu près en ligne droite.) Il aura traversé le ruisseau par là, en maintenant le cap sur le sud-est à peu près en permanence... Si l'un de vous deux a un rapporteur dans son cartable, c'est le moment de le sortir, pour mesurer l'angle et trouver la direction exacte. Après quoi, ce sera de la petite bière : on prend une boussole, et on suit la bonne direction.

– Mouais, dit sèchement David. Ce *serait*

de la petite bière si ça passait à travers champs. Malheureusement, dans cette direction, il n'y a que de la forêt de pins. Si bien qu'on n'arrêterait pas de contourner des obstacles, avec tous les risques d'erreur que cela signifie pour se remettre ensuite dans la bonne direction. Or, si tu dévies de quelques degrés dès le départ, ça veut dire que tu risques d'avoir drôlement obliqué au bout des cinq kilomètres qui devraient te mener chez Brown. Pour retrouver une ferme comme ça, à l'estime, à cinq kilomètres de distance, j'aime autant te dire que c'est de la loterie!

– Pour tomber sur la ferme elle-même, peut-être, lui accordai-je. Mais je vois mal comment rater les terres de l'exploitation. Il y en a plus de cinquante hectares, entièrement clos, on ne peut pas manquer de tomber sur la clôture quelque part.

– Moi, je veux bien, dit David, l'air songeur. Seulement, Joe peut se trouver n'importe où. On a peut-être une chance sur un million de tomber sur lui. Tu sais bien que là-dedans on peut se croiser à

moins de cent mètres sans même s'en douter!

– C'est entendu, lui dis-je, et c'est bien pourquoi il faut prendre la carabine. Tous les cinq cents mètres, par là, on tire un coup en l'air, et on écoute pour savoir s'il vient une réponse.

Paula m'approuva sans réserve :

– Moi, ça m'a l'air d'un bon plan, dit-elle. Et il est certain qu'il faut agir, alors!... Je crois que John a raison : Joe a sans doute eu un pépin, ou peut-être même un accident grave, soit en allant chez Brown, soit en revenant ici.

– Bien. D'accord, finit par dire David. Encore que je reste persuadé que tout va bien pour Joe. Il connaît ces bois mieux encore que nous ne connaissons *Les Arpents*. Mais enfin, on ne peut jamais savoir... Et je ne vois vraiment pas pourquoi il n'est pas encore de retour ici – à moins qu'il n'ait décidé de chasser.

– Ah oui? Sans son fusil?

Alors David capitula, et j'enchaînai :

– Bon. Il reste une question. Nous n'avons qu'une seule paire de raquettes, si bien qu'un seul d'entre nous peut

se lancer dans cette expédition. Qui?
– Ma foi, puisque c'est ton plan, pourquoi ne serait-ce pas toi? lança étourdiment David qui se ravisa aussitôt : Non. Je suis l'aîné. C'est moi qui dois y aller.
– Il n'y a pas de raison, dis-je. Et moi, ça m'est bien égal d'y aller. Si tu restais plutôt ici à veiller sur Paula?

Paula me décocha un regard offensé :
– Dis donc! Je suis bien assez grande pour veiller sur moi toute seule! Ne te sers pas de moi comme prétexte, s'il te plaît!

L'unanimité se fit cependant sur ma candidature. Je crois que David ne tenait guère à faire dix kilomètres à travers bois, même sur des raquettes. Sa mine s'était éclairée quand je m'étais porté volontaire et il se laissa convaincre sans peine.

Je m'apprêtai le plus vite possible. La matinée était déjà bien avancée, et je n'avais pas de temps à perdre si je voulais faire l'aller et retour avant la nuit. Paula retrouva son rapporteur et mesura l'angle d'orientation sur la carte.
– Dix degrés vers le sud à partir de l'est,

conclut-elle après avoir ajouté cinq degrés pour la déclinaison.

Pour plus de sûreté, je vérifiai moi-même, tandis que David se mettait en quête de la grosse boussole de Papa.

J'étais paré. Anorak, bottes, raquettes, moufles, bonnet à oreillettes méticuleusement boutonné, boussole, carte, couteau, fusil non chargé mais magasin bien plein, chargeur de rechange et des munitions plein les poches (de quoi tirer au moins cinquante fois), sans oublier des allumettes, un briquet et un petit flacon d'essence à briquet. Je vérifiai soigneusement le tout, en l'enfournant dans mon sac à dos, bien décidé à ne plus jamais me laisser prendre au dépourvu pour cause d'insouciance.

J'allais partir lorsque Paula survint, pour ajouter à mon paquetage une bouteille thermos, des gâteaux de « céréales » enveloppés dans du plastique, ainsi qu'une paire de gants de rechange pour le cas où (elle me connaissait) j'égarerais mes moufles...

– Sois prudent, me dit David. Et bonne chance!

Ce n'était pas de chance que j'aurais besoin, en réalité, mais bel et bien d'un miracle. Je n'aurais peut-être pas quitté la maison d'un pas si léger si j'avais su ce qui m'attendait. Vraisemblablement, même, j'aurais renoncé à ma mission.

Une fois dehors, j'escaladai aussitôt la muraille de neige qui bordait l'allée, consultai ma boussole et me mis en chemin. Il me sembla qu'il faisait nettement plus froid que tout à l'heure, mais je mis cette impression sur le compte du contraste avec la tiédeur de la maison. J'aurais tôt fait de m'y réhabituer, surtout si j'avançais vite.

Je pris donc une cadence rapide et j'atteignis bientôt la lisière du bois. Avant de m'y enfoncer, je me retournai pour adresser un dernier signe de la main à David et Paula qui me regardaient partir, debout près de l'allée. Je les vis me faire signe en retour et je m'enfonçai résolument sous le couvert enneigé.

11. Une maison vide

Je comptais pouvoir avancer à trois kilomètres à l'heure ou un peu plus vite, autrement dit faire quatre à cinq cents mètres en huit minutes environ... Le bruit d'un coup de feu, sur ce fond de silence, devait porter sur une bonne distance, et j'avais décidé de tirer à peu près toutes les dix minutes. Ce système aurait le double avantage de signaler ma position tout en me permettant de savoir en permanence où j'en étais de ma progression. Chaque chargeur contenait cinq cartouches, donc, d'après mes calculs, quand le premier chargeur serait vide, je serais à peu près à mi-chemin entre les deux fermes.

« Bien calculé », me dis-je, me félicitant moi-même tandis que je cheminais avec peine à travers bois. C'est Pousse-Coude qui serait content! Je l'entendais comme s'il était là :

– Mes enfants, croyez-moi : rien de plus utile dans l'existence que l'arithmétique...

Je n'en avais rien cru jusqu'ici. Ou, plus exactement, disons, je ne voyais d'intérêt au calcul que lorsqu'il s'agissait d'évaluer combien il resterait de mon argent de la semaine après un achat qui me tentait. Et encore, l'argent de la semaine, c'était de l'histoire ancienne : toute distribution d'argent de poche avait été suspendue chez nous peu après notre installation aux *Arpents*, à partir du jour où Papa avait quitté son emploi de salarié pour travailler à plein temps sur la ferme, afin de la remettre en état. Il faut dire que, pour y arriver, il avait bien besoin du plus petit sou. De toute façon, cela nous était égal : je veux dire, de ne plus avoir d'argent de poche. Nous préférions mille fois n'avoir pas d'argent et habiter aux *Arpents*, plutôt que d'en avoir et de vivre en ville. Tout ceci pour expliquer pourquoi c'était la première fois que l'affirmation du prof de maths me paraissait assez vraie : j'étais bien content, ce jour-là, d'avoir appris les angles et les degrés, les kilomètres à l'heure et la lecture d'une carte et d'une boussole!

Je consultai ma montre. Encore trois minutes avant le prochain coup de feu. Avec cette nécessité de garder un œil sur la montre et l'autre sur la boussole, je ne risquais pas de m'ennuyer. Je me sentais même un peu comme un petit ordinateur à pattes. Une chanson de marche vint me trotter dans la tête, et je m'efforçai de la fredonner mentalement pour garder en même temps le moral et la cadence. Je songeai même à la chanter tout haut un instant, mais la sagesse me conseilla d'y renoncer. Il faisait vraiment trop froid, et j'avais besoin de tout mon souffle si je ne voulais pas perdre de temps.

La légère brise qui s'était levée un peu plus tôt dans la matinée avait maintenant nettement fraîchi : c'était désormais un bon vent, que je sentais même à travers les arbres. Dans un sens, il m'avantageait un peu, parce qu'il soufflait du nord-ouest et que je l'avais donc dans le dos. Mais, d'un autre côté, je m'en serais bien passé. Il n'avait rien de réchauffant, ce vent-là, chargé d'air glacé à force de courir sur des terres arctiques! Par-dessus le marché, il avait assez de vigueur pour faire fléchir les arbres chargés de neige et, de temps à autre, dans leur balancement, les branches du sommet se délestaient sans crier gare de lourds paquets de neige.

Nouveau coup d'œil à ma montre. C'était l'heure du coup de feu. Je m'arrêtai, décrochai le fusil de mon épaule, éjectai la cartouche vide et en amenai une fraîche. Je visai devant moi, droit sur le sol, fis sauter le cran de sûreté et pressai la gâchette. Pang! Ce vieux 303 faisait un vacarme!

Puis j'attendis un peu, sans bouger, l'oreille tendue jusqu'à en avoir mal, pour tenter de recueillir une réponse, même ténue. Mais non, rien. Rien que le chuchotis du vent dans les branches.

Déçu, je retirai le chargeur vide pour le remplacer par un autre plein, reverrouillai le cran de sûreté et balançai le fusil de nouveau sur mon épaule. Dernière vérification sur la boussole avant de repartir : dix degrés vers le sud à partir de l'est, c'était bien par là?

Ainsi donc, j'étais à mi-chemin, et toujours pas trace de Joe... Ce n'était guère encourageant. Je commençais à me demander si mon plan était aussi sûr que je l'avais cru. « Ne nous en faisons pas trop, me dis-je pour me rassurer. M. Brown, lui, saura sûrement ce qu'il faut faire. Et tout au moins il pourra me dire s'il a vu ou non Joe, et si Joe a bel et bien passé la première nuit chez lui comme David le dit si bien. »

Je poursuivis ma route, plutôt péniblement, m'en tenant de façon stricte à mon programme de coups de feu toutes les dix minutes, sans jamais obtenir de réponse. Il était déjà près d'une heure, et je venais de vider mon second chargeur. Je m'employai à le regarnir, manipulant de mon mieux les cartouches avec mes grosses mains gantées. « Je ne devrais plus tarder à tomber sur la clôture de chez Brown », pensais-je.

Je venais de tirer ma treizième cartouche lorsque les premiers doutes me vinrent. Cela faisait deux heures, à présent, que j'avançais dans ce même décor : des pins, rien que des pins, recouverts de neige et rigoureusement identiques à ceux que j'avais rencontrés dès le départ. Le sous-bois n'avait pas varié davantage : une alternance de neige profonde, dans les creux et les fossés, et d'endroits où, au contraire, le vent avait mis à nu de noires branches mortes aux contorsions pathétiques et lugubres... M'étais-je donc perdu ?

Un flot de panique me submergea soudain. J'en perdis le souffle un instant et dus m'efforcer de reprendre haleine. « Respirer bien à fond, et tâcher de réfléchir », me dis-je fermement. Un tronc couché s'offrait non loin de là et je fis l'effort de m'y traîner.

Je déblayai de sa neige un coin d'écorce pour m'asseoir et m'installai pour faire le point. Mais d'abord, en toute hâte, j'arrachai de mes mains mes moufles raides de froid et enfilai avec soulagement les gants bien secs que m'avait donnés Paula. Quel trait de génie elle avait eu là, tout comme pour la thermos, d'ailleurs! Je l'extirpai de mon sac, et me mis à siroter lentement l'eau brûlante. Elle était fortement sucrée et je la sentais descendre en moi, chaude et réconfortante.

Et maintenant, où en étais-je? Où était l'erreur? Qu'est-ce qui avait pu ne pas marcher? J'avais suivi en toute confiance les indications de la boussole, sans trop de difficultés. D'ailleurs, les troncs n'étaient pas serrés, jamais à moins de quatre ou cinq mètres les uns des autres... Peut-être la boussole était-elle déréglée? Mais non. L'aiguille s'agitait librement, et pointait résolument vers le nord. A la maison, d'ailleurs... Ma rectification pour obtenir le vrai nord, compte tenu de la déclinaison, me paraissait indiscutable. Alors? Non, pas d'erreur possible. Dix degrés vers le sud à partir de l'est, c'était bien ça.

Reprenant peu à peu mon calme, je replaçai la bouteille thermos dans mon sac à dos et me remis en route. Dix degrés vers le sud à partir de l'est. A force de maintenir ce cap, il me semblait que je serais capable de le retrouver, comme ça, les yeux fermés, en me laissant pivoter sur les talons.

Je marchais depuis cinq minutes lorsque la forêt prit fin brusquement. Là courait une clôture en zigzag, toute semblable à la nôtre, et dans les champs, à moins de deux cents mètres, la ferme Brown se blottissait dans la neige. Je poussai malgré moi un long soupir de soulagement et marquai une pause, appuyé à cette clôture, dégustant le spectacle, ô combien réconfortant! de ces bâtiments de rondins groupés là-bas, presque à portée de voix. Bien sûr, je n'avais pas trouvé Joe... Mais en tout cas, je ne m'étais pas perdu, et le secours était proche. M. Brown saurait ce qu'il fallait faire.

Le vent soufflait plus fort, sur terrain découvert. Il s'emparait de la neige soulevée par mes raquettes pour l'emporter plus loin, en tourbillons de poudre blanche. Je le sentis mollir avec soulagement sitôt qu'il fut coupé par les murs d'une grange, comme je m'approchais du portail. Je ne tentai même pas de l'ouvrir car il disparaissait presque sous la neige; je l'enjambai tout simplement et piquai droit sur la maison.

De la chaleur bientôt, enfin! Il me tardait si fort d'entrer, de me glisser au chaud, à l'abri des morsures de cet air glacé, que je dus me contraindre à prendre le temps de frapper. J'étais gelé jusqu'à la moelle des os, et mes dents claquaient avec la même frénésie que celle d'un pivert qui s'attaquerait à du béton.

Dépêchez-vous, monsieur Brown, venez m'ouvrir cette porte! Ou madame Brown, peut-être. N'importe qui. Je frappai plus fort sur le volet de la double porte, mais toujours en vain. Je donnai alors un bon coup de poing et, à ma grande surprise, la porte s'ouvrit en grinçant, tandis qu'un morceau de carton s'effondrait au sol. Bizarre, bizarre, la serrure était arrachée comme si on l'avait forcée. Le système de fermeture du battant intérieur de la double porte avait subi le même sort, et reçu la même prothèse de carton.

La cuisine était silencieuse, et plongée dans la pénombre en raison de la neige qui obstruait les fenêtres. Je voulus articuler : « Monsieur Brown! » mais mes dents claquaient trop fort et ma voix ne sortit même pas. Je ne pouvais plus penser à rien d'autre qu'à me réchauffer coûte que coûte. Secoué de frissons de la tête aux pieds, je déposai mon fusil, arrachai mes gants avec mes dents et posai les mains sur mon visage pour leur souffler dessus, dans l'espoir de réchauffer à la fois mes doigts et mes joues.

Je n'arrivai pas à me dégeler tout à fait. Mais du moins mes dents cessèrent de claquer, et je me lançai dans une série de grimaces et de mouvements de gymnastique faciale de ma façon, jusqu'à ce que je sente ma peau revenir à la vie. Je le regrettai bientôt. Ça faisait terriblement mal.

– Monsieur Brown! pus-je appeler enfin. Il y a quelqu'un?

Pas de réponse. Autant enlever

d'abord mes raquettes, avant de faire des recherches.

Abandonnant dans la cuisine raquettes, bonnet et anorak, je me dirigeai vers le fond de la maison, frappant à toutes les portes avant de les ouvrir et d'appeler bien fort. Mais toute la maison était plongée dans un silence de mort. Elle donnait une impression de vide total et d'attente silencieuse. On n'entendait rien, de l'intérieur. Plus même le murmure du vent. C'était à n'y rien comprendre. Ils n'étaient tout de même pas dehors, ni dans les dépendances?

Le mystère ne s'éclaircit qu'à mon retour à la cuisine. J'avisai alors une feuille de papier sur la table que je n'avais pas remarquée au début. Je m'approchai pour la lire. C'était un petit mot de Joe. Il priait M. Brown de vouloir bien l'excuser pour être entré par effraction, et il y mentionnait la liste des provisions qu'il lui empruntait. Il lui promettait de venir tout rembourser et réparer les serrures dès que possible. Mais c'était un cas de force majeure, il y allait de la vie des petits Clancy...

Un flot de sentiments divers m'envahit à la lecture de ce billet. Je ne savais si je devais rire ou pleurer, et la vérité m'oblige à dire que j'avais envie de faire les deux. De rire, parce que c'était cocasse de se dire que ni Maman, ni Papa, ni nous n'avions seulement songé que les Brown pouvaient fort bien être bloqués en ville eux aussi, et pour les mêmes raisons. Et de pleurer, d'abord parce que la probabilité d'un accident survenu à Joe me semblait de plus en plus grande, et ensuite parce que j'imaginais bien le cas de conscience qu'il avait dû vivre, après avoir cheminé dans la neige pour se heurter à cette porte close.

Je savais bien ce que Joe pensait de la barrière qui se dresse entre les Indiens et les Blancs, nous en avions souvent discuté ensemble. Alors, je devinais sans peine ce qu'il avait dû lui en coûter d'entrer chez Brown comme un cambrioleur... Certes, les Brown étaient bien gentils, ils nous connaissaient, ils connaissaient Joe – il avait d'ailleurs travaillé chez eux l'été passé. N'empêche que, gentils ou non, il y avait de fortes chances pour qu'ils ne soient pas très contents, à leur retour, de découvrir qu'on avait fait sauter leurs serrures! Et Joe savait parfaitement que, devant la justice, les Indiens bénéficient souvent de moins d'indulgence que les Blancs. Et sans doute s'était-il longuement tourmenté avant de se résoudre à jouer les cambrioleurs. Il avait dû d'abord imaginer toutes les suites possibles à ce geste téméraire, et le mot de *prison* lui était certainement venu à l'esprit... Je cherchai de quoi écrire et ajoutai ma signature à celle de Joe.

Et maintenant, trouver de quoi me réchauffer. Après le froid cuisant du dehors, les quelques degrés au-dessus de zéro qu'il devait faire dans cet intérieur me semblaient certes une tiédeur de grand luxe. J'éprouvais pourtant impérieusement le besoin d'avaler quelque chose de chaud, que ce soit solide ou liquide (du solide ne serait pas de trop); cela impliquait de trouver une source de chaleur quelconque. Il n'y avait pas plus de courant électrique que chez nous, bien sûr. « Mais comme ils sont mieux équipés que nous, me dis-je, je parie qu'ils ont un groupe électrogène pour les jours de panne... » Encore fallait-il savoir où il se trouvait, et être capable de le mettre en route, ce qui me parut au-dessus de ma compétence. J'explorai plutôt les placards de la cuisine, à la recherche d'un chalumeau ou d'une lampe à souder, comme nous en avions à la maison pour réparer les tuyaux crevés, ou de n'importe quoi d'autre qui pût réchauffer une boîte de haricots ou une casserole pleine d'un liquide quelconque.

Je m'apprêtais à renoncer et à revenir à mon idée première (trouver les commandes du groupe électrogène) lorsqu'une boîte métallique vert foncé, toute cabossée, attira mon attention au fond du grand placard. Cela ressemblait à... Mais oui! C'en était un! Un vieux réchaud Coleman. Je l'extirpai triomphalement et le posai sur la table. Soulevant le couvercle, j'en sortis le cylindre rouge en priant le ciel qu'il ne fût pas vide. Un discret glouglou dissipa mes craintes, et je me mis à pomper avec ardeur tout en lisant le mode d'emploi inscrit à l'intérieur du couvercle.

POUR ALLUMER LE BRÛLEUR PRINCIPAL, LEVER LA MANETTE D'ALLUMAGE, OUVRIR À FOND LA VALVE ET ALLUMER LE BRÛLEUR. AU BOUT D'UNE MINUTE, ABAISSER LA MANETTE. PROCÉDER DE LA MÊME FAÇON POUR LE BRÛLEUR SECONDAIRE SI NÉCESSAIRE.

Quelques minutes plus tard, le réchaud sifflait doucement, couronné d'un double cercle de flammes bleues, et je me lançai à la recherche de conserves.

Je n'avais pas, je l'avoue, la conscience tout à fait tranquille de piller ainsi les étagères d'autrui mais, après trois jours de famine, ma conscience ne risquait guère d'avoir le dernier mot. Je me contentai de l'apaiser en lui disant que ce n'était pas vraiment du vol. Que si les Brown avaient été là, ils m'auraient offert encore davantage. Et que d'ailleurs Papa rembourserait tout... N'empêche que je me sentais mal à l'aise...

Trois boîtes de conserve plus tard (deux de haricots et une de jambon), j'avais l'impression d'être redevenu moi-même. « C'est étonnant ce que la faim peut vous faire faire, me disais-je tout en sirotant une grande chope de chocolat chaud. Elle donne aux réalités un éclairage inhabituel et modifie votre façon de voir les choses... » Peut-être était-ce la faim qui nous avait donné l'aplomb de tenir tête aux chiens sauvages? A cette minute, en tout cas, l'estomac bien calé par un bon repas chaud, la seule idée de devoir affronter ne serait-ce qu'un seul chien minuscule me faisait frissonner.

Je jetai un coup d'œil à ma montre. Deux heures vingt, déjà, et je n'avais toujours pas retrouvé Joe... Ce n'était plus le moment de rester là, vautré, à rêver de bravoure. D'ici deux ou trois heures viendrait la nuit tombante, et je n'avais que tout juste le temps de regagner *Les Arpents.* « Ouste! me dis-je. Et sans lambiner! »

Je m'affairais à me harnacher lorsqu'une tentation vint m'effleurer : pourquoi ne pas rester ici ce soir et cette nuit? Bien manger, finir de me réchauffer, bien dormir... Le lendemain, je serais dispos pour reprendre les recherches! Et peut-être, au fond, cette décision aurait-elle été la plus raisonnable. Mais l'image de Joe gisant dans la neige, blessé grièvement, dans quelque recoin de la forêt, l'image de Joe espérant du secours vint s'imposer à mon esprit et balaya toutes les tentations.

En deux temps, trois mouvements (et avec peu de ménagements pour ces pièces vestimentaires), mon anorak fut fermé, mon bonnet fourré boutonné, les raquettes fixées à mes bottes. Avant d'enfiler mes gants, je remis le réchaud dans son placard, regarnis les deux chargeurs du fusil et le balançai sur l'épaule. En avant! J'étais paré pour affronter, une fois de plus, l'ennemi du dehors...

12. L'ennemi du dehors

Était-ce un effet du contraste entre l'air du dehors et celui, relativement doux, du havre que je quittais? Ou bien le thermomètre avait-il encore, durant ma brève halte, fait un bond de plusieurs degrés au-dessous de zéro? Le froid pinçait si fort, au sortir de la ferme, que dès la première bouffée j'optai pour la seconde hypothèse : il faisait plus glacial que jamais. Les yeux me brûlaient et le front me cuisait, comme si on venait de me brandir sous le nez un tisonnier chauffé au rouge. Et cela faisait mal, vraiment. A tel point que je fus tenté, l'espace d'une fraction de seconde, de pivoter sur mes talons et de retourner à l'abri. Mais ce n'était pas possible, je ne pouvais plus reculer. « Ce sera peut-être moins dur une fois dans la forêt », me dis-je en me courbant pour plonger dans le vent et enjamber le portail.

Le champ de neige, droit devant moi, ressemblait à un immense gâteau recouvert d'un glaçage bien lisse, bien plat, étincelant de partout, simplement troublé, par endroits, de petits tourbillons de poudre de neige soulevés par le vent, comme une brume de matin d'été. En fait d'été, c'était plutôt, en réalité, comme l'intérieur d'un congélateur quatre étoiles, et je regrettais fort de n'avoir pas eu la présence d'esprit de me munir d'un cache-nez pour me l'entortiller jusqu'au ras des cils et éviter à mes pauvres yeux de geler!

Mon front, pris dans cet étau, me faisait souffrir de façon insoutenable, et je n'étais pourtant pas encore à mi-chemin de la lisière du champ. Je décidai d'essayer de marcher à reculons, pour avoir le dos au vent. Après quelques « pas » lamentables dans cette position insolite, je dus convenir que les raquettes à neige n'étaient pas réellement conçues pour la marche à reculons, et je fis demi-tour à nouveau. Enfin, sortant de mon sac la carte d'état-major, je la pliai de mon mieux pour lui donner les dimensions d'une sorte de pare-vent pour le visage, mi-bouclier, mi-passe-montagne.

Et je me replongeai, tête baissée, dans le vent. Le dispositif de la carte coupe-vent se révéla très efficace, et c'est vraiment grâce à cette carte que je pus gagner la clôture du champ. C'est même grâce à elle que je me cognai dedans comme un bison et que je roulai dans la neige. Je me relevai sans trop de mal et fonçai en direction des arbres, là où le vent ne serait plus qu'un murmure, une voix solitaire perdue dans la forêt...

Ouf! Sous le couvert des arbres, la différence était sensible. Oh! le froid était toujours vif et terriblement mordant, mais sa pression sur mon front était du moins plus supportable. Je repliai la carte et voulus consulter la boussole. Malheureusement, le vent avait mis un peu de désordre dans mes idées et je faillis bien reprendre le cap de l'aller, machinalement, dix degrés vers le sud à partir de l'est! Puis je réalisai qu'il me fallait prendre très exactement la direction opposée, mais un grand vide se fit dans ma tête au moment de décider quelle pouvait être cette « direction opposée »! L'image de Pousse-Coude, par bonheur, arriva à la rescousse et l'ironie féroce du regard dont il me toisait me remit le cerveau en marche : « Mais oui, Clancy. C'est ça. Dix degrés vers le nord à partir de l'ouest. Vous voyez bien que vous n'êtes pas une nouille, enfin, quoi! Et n'oubliez pas de corriger, en raison de la déclinaison... » « Bien, monsieur. Mais si, monsieur, je suis une nouille. Et même une nouille surgelée, si vous voulez savoir... » Puis j'envoyai Pousse-Coude voltiger la tête la première dans la neige et me remis en route.

Durant les cinq premières minutes, je n'eus en tête qu'une seule pensée : je rentrais aux *Arpents* et le trajet serait long... Puis, petit à petit, quand mes jambes eurent pris la cadence et que vint l'automatisme (glisser un pied en avant, glisser l'autre), la pensée de Joe s'imposa tout entière.

Ma première intention, en quittant la ferme Brown, avait été de décaler mon itinéraire d'environ deux cents mètres vers le nord par rapport à mon trajet aller. C'était un peu un pari, un risque à courir. Puisque je ne l'avais pas rencontré à l'aller, j'avais ainsi une chance sur deux de passer plus près de Joe (la contrepartie, bien sûr, c'était le risque de m'éloigner de lui encore un peu plus). Mais je n'avais aucun moyen de deviner de combien je l'avais manqué, ni de quel côté il se trouvait de la ligne que j'avais imaginée. Qui plus est, rien ne prouvait qu'il se trouvât à proximité de cet itinéraire! L'hypothèse contraire, je dois le dire, je préférais ne pas l'envisager... Bref, à cause du vent, pour finir, je n'étais même pas sûr d'avoir bel et bien effectué le décalage envisagé...

« Et si je tirais plus souvent? me dis-je. Peut-être que Joe aurait plus de chances de m'entendre? Toutes les cinq minutes, par exemple. » C'était une idée.

Un coup d'œil à ma montre, et je tirai

le premier coup de feu. J'attendis une réponse, qui ne vint pas. A refaire, dans cinq minutes. Je suivis le même processus à intervalles réguliers. M'arrêter, charger, tirer, écouter. M'arrêter, charger, tirer, écouter. Et ainsi de suite. « Oh! mon Dieu! suppliais-je. Cette fois-ci, faites un miracle, rien qu'un seul, un tout petit! S'il vous plaît! » Et chaque fois que je regardais la boussole, je lui soufflais de toutes mes forces : « Dirige-moi vers lui... » Je pris même la peine de défaire les oreillettes de mon bonnet à l'occasion de chaque coup de feu, pour être bien certain de ne pas laisser échapper le moindre appel au secours. Mais mon espoir s'effritait, cartouche après cartouche. Rien ne me répondait, que les sursauts du vent.

Et puis ce fut la catastrophe. Mon pied droit, depuis quelques minutes, glissait de moins en moins bien. Mais là, brusquement, il cala pour de bon et je capotai, le nez dans la neige. La raquette cassée par Paula, ce premier matin de neige où nous chahutions un peu fort, cette raquette venait de rendre l'âme.

Elle vint battre, inutile, contre ma botte quand je tentai de me relever. Et voilà. La réparation effectuée à la maison, avec trop de hâte, n'avait pas pu tenir le coup.

Je restai un instant assis dans la neige à la contempler bêtement. J'étais épuisé. J'avais froid, faim déjà, et plus guère d'espoir au cœur ni la force de réagir.

Puis, comme je ne bougeais pas, le froid commença tout doucement à s'insinuer sous mon anorak, et mille petits courants de frayeur s'infiltrèrent en moi sournoisement. Il me revenait en mémoire combien circuler dans la neige sans raquettes est un exercice difficile. Je me souvenais de cette éternité que nous avait pris le retour à la maison depuis la descente du bus, ce premier soir de neige. Et combien David peinait, derrière moi, sur la piste des chiens sauvages. Et je compris soudain que je n'avais aucune chance d'être rentré à la maison avant la nuit.

Alors, et toujours sans bouger, je sentis mon cerveau se mettre à fonctionner, dans le désordre, à une vitesse fulgurante, toutes sortes de pensées lui venant en même temps, en vrac, et sans qu'il soit capable de les analyser. Combien de coups de feu avais-je tirés? A quelle distance pouvais-je me trouver des *Arpents*? Devais-je faire demi-tour ou continuer? Quelle heure était-il? Combien de temps restait-il avant la nuit noire? Quelle température faisait-il? Combien de temps survivrais-je au froid? Quel effet cela faisait-il de mourir? Etait-ce douloureux? Qui me retrouverait? Et quand?

J'endiguai ce flot de questions. Je m'efforçai de détacher de mon pied la raquette cassée, et ce geste simple apaisa ma pauvre cervelle débridée, qui voulut bien se mettre à tourner plus calmement. Ainsi donc, j'étais bloqué dehors pour la nuit. « Parfait, me dis-je sévèrement. Mais qui peut affronter une bande de chiens sauvages doit pouvoir affronter le froid. Alors, pas d'histoires. Affronte, mon vieux. Et tout seul. »

Bon. D'abord, l'heure. Encore une heure et demie de jour. J'étais donc plus proche des *Arpents* que de chez Brown.

Fallait-il essayer de gagner la maison coûte que coûte? Non, pas sans raquettes. Ou même jouer le tout pour le tout? Non, stupide. Mieux valait mettre à profit ce qu'il me restait de jour pour m'apprêter à passer la nuit. Car si le crépuscule me prenait au dépourvu, oui, c'est pour le coup que j'étais bon pour la rubrique nécrologique. John Clancy, *requiescat in pace*... Non, penser à autre chose. Songer à ce qu'il faut faire, plutôt qu'à ce qu'il ne faut pas faire. A ce que je peux faire, plutôt qu'à ce qui est exclu. Bon, cette raquette, je peux peut-être la réparer? Hors de question; inutile même de l'examiner plus longtemps sous tous les angles... Sous l'effort, un autre montant du cadre avait cédé et les lanières avaient pris l'aspect d'une toile d'araignée déglinguée.

Mes dents se remirent à jouer des claquettes. L'ennemi me pénétrait jusqu'à la moelle des os, puisque je ne bougeais toujours pas. Allons, Clancy, remue-toi un peu, quoi! Debout, et au travail! En prenant les choses par le commencement...

D'abord, choisir un endroit où bivouaquer. Il faut trouver un coin bien abrité du vent, et où l'on puisse faire du feu; donc pas trop près d'arbres chargés de neige. Trouvez-moi ça facilement, dans une forêt! Pourtant, il n'y a pas à tortiller : il faut trouver un emplacement dégagé. Sinon, Clancy, que se passera-t-il, hein? Ben... la chaleur du feu fera fondre la neige sur les branches, la neige fondante s'écroulera sur le feu, qui rendra l'âme. Compris? Alors, chercher le bon coin. Exécution.

Je partis en exploration, clopin-clopant sur une seule raquette. Ce qu'il me fallait, c'était un bon creux, bien sûr. L'ennui, c'est que les creux n'étaient pas simples à repérer, ils étaient tout remplis de neige. Et je n'avais finalement pas tellement de temps à consacrer à la recherche du site idéal! Si bien que je me décidai assez vite pour un endroit qui me semblait un peu plus abrité que les autres, parce que les troncs des pins, du côté d'où venait le vent, y étaient vaguement plus serrés. Je levai le nez pour examiner la façon dont les choses se présentaient au-dessus. Il y avait, bien sûr, de copieux paquets de neige embusqués sur toutes les branches. Mais une observation attentive me permit de repérer un secteur où les branches les plus basses étaient situées assez haut. Peut-être seraient-elles hors d'atteinte de la chaleur du feu? Adjugé, vendu! Je plantai là mon fusil, la crosse dans la neige, pour marquer l'emplacement.

Et maintenant, trouver du bois. Beaucoup de bois. Quelques branches mortes, par un heureux hasard, sortaient de la neige leurs bras noueux, comme pour me faire signe. Je ne leur en voulus pas d'être un peu dures à extraire. J'avais si froid que l'effort exigé me parut salutaire. Sinon je risquais de geler sur place avant d'avoir seulement pu faire ce feu.

Quatre des branches récoltées faisaient près de deux mètres de long. Je les traînai, à grand-peine, jusqu'à l'emplacement choisi, chacune d'elles creusant dans la neige un profond sillon. Petit à petit, sous l'effort déployé, je réussis à me réchauffer jusqu'à ne plus frissonner que de loin en loin, tandis que je m'affairais à préparer ma réserve de bois. Lorsque ma pile de bois mort me parut suffisante pour nourrir largement mon feu tout au long d'une longue nuit, je passai à la suite du programme.

Les derniers quarts d'heure du jour me virent très occupé à déblayer de la neige mon âtre improvisé. Ce travail éreintant me faisait souffler comme un bœuf, et chaque aspiration d'air glacé me faisait mal aux dents et à la gorge. Entre le froid et moi, la lutte était sans merci. Je n'avais pas droit à l'erreur, et cela n'avait rien d'un jeu. La température était déjà bien en dessous de zéro, mais je savais qu'elle allait encore descendre en chute libre sitôt la nuit tombée. Et j'avais intérêt à le savoir. Car l'enjeu de la lutte, c'était ma vie...

Et voilà. Ma première ligne de défense était prête. J'avais dégagé pour mon feu une surface d'un petit mètre carré, j'avais débité l'une des plus grosses branches en un certain nombre de bûches qui seraient la base du foyer. Après quoi, je montai le bûcher, en pyramide comme je l'avais vu faire, en garnissant la base de petit bois et de copeaux confectionnés avec mon couteau, pour faciliter l'allumage.

Une allumette, maintenant. Les petits copeaux s'enflammèrent aussitôt, puis se roulèrent sur eux-mêmes et s'éteignirent. Ah! si seulement il y avait eu des bouleaux dans le secteur! De l'écorce de bouleau, rien de tel pour faire prendre un feu... Enfin, tant pis. Par bonheur, je ne manquais pas d'allumettes. Je pris cependant soin, pour mon second essai, d'abriter la flamme naissante en lui coupant le vent, jusqu'à ce qu'elle eût pris la force de s'attaquer au petit bois du bas de la pile. La protégeant toujours, je l'observai anxieusement, surveillant la façon dont elle se multipliait, se propageait, gagnait peu à peu du terrain et prenait de la hauteur, escaladait le petit bois, puis les branchettes un peu plus grosses, pour venir enfin lécher les bûchettes, qui finirent par noircir, fumer, et s'enflammer pour de bon. Je m'écartai légèrement, soulagé, et laissai le vent jouer avec le jeune feu. Bientôt de longues flammes voraces atteignirent le cen-

tre de la pyramide et allongèrent le cou pour entamer les plus grosses bûches.

Le joyeux crépitement de la flambée et sa chaleureuse lumière étaient bien le meilleur remède à toutes mes misères. Je mis encore un peu de bois sur le feu avant de m'attaquer à mes derniers préparatifs.

La nuit noire, hélas, avait profité de ce que je m'affairais à mon feu pour me prendre de vitesse et s'installer pour de bon. Elle avait tiré entre les troncs de

lourdes et sombres tentures, de sorte que je n'y voyais plus rien au-delà du cercle éclairé par le feu. Tant pis. Cela devait me suffire.

Je m'employai à bâtir une sorte de rempart de neige tout autour de mon camp improvisé, en commençant par le côté au vent, puis en refermant le cercle. Au terme de ce travail de fourmi-lion, je contemplai ma seconde ligne de défense : une muraille circulaire d'un mètre cinquante de haut en moyenne. Cette fois, j'étais paré pour affronter la nuit.

Les flammes dansaient joyeusement. Avec elles s'envolaient les derniers restes de frayeur qui me pesaient encore sur le cœur. Je retirai mes gants pour me réchauffer les mains et me frictionnai les joues pour les dégeler un peu. La lumière et la chaleur du foyer, en se réverbérant sur mes murs de neige, emplissaient mon gîte d'une sorte d'allégresse réconfortante et ma pauvre carcasse en dégela si bien que je pus bientôt ouvrir mon anorak et songer à prendre un peu mes aises.

Avec des morceaux de mon bois de chauffe, je me confectionnai un siège à mon idée : quelques rondins ficelés ensemble avec les lanières de cuir de ma défunte raquette, et j'obtenais quelque chose entre le pliant et le transat. Un peu rudimentaire, peut-être, mais solide, apparemment. En tout cas, ce siège résista lorsque je m'assis dessus, non sans prudence, si bien que, mis en confiance, je m'y abandonnai de tout mon poids. Il tint bon. Miracle. Je pouvais songer à mon estomac. Il me restait encore les deux gâteaux de céréales que Paula avait mis dans mon paquetage. J'en pris un et l'embrochai sur la pointe de mon couteau pour le rôtir à la flamme. « Gardons le second pour demain matin », me dis-je avec sagesse.

Après avoir fait descendre le gâteau réchauffé avec quelques gorgées de ce qui me restait d'eau sucrée, je décidai de réfléchir à la suite des événements. Je regarnis le feu de grosses bûches et contemplai la danse des flammes, qui lançaient dans la fumée des gerbes d'étincelles rouges et se tordaient en spirales échevelées.

De mon beau plan du matin, que restait-il à présent? Pourquoi n'avais-je pas rencontré Joe? Le souvenir des chiens revint me glacer le sang. Peut-être que Joe était mort? Mais je chassai cette pensée inacceptable. Mieux valait supposer qu'il était vivant, mais qu'il avait besoin de secours.

Je passai en revue, un par un, les faits dont j'étais certain. Il avait quitté *Les Arpents* deux jours plus tôt, juste avant midi. Il était allé jusque chez Brown, il y avait pris des provisions, et c'est alors qu'il avait disparu. Pourtant, il n'y avait pas à sortir de là : il avait sûrement pris le chemin le plus court pour regagner *Les Arpents,* celui-là même que j'avais suivi. Alors, pourquoi n'avait-il pas répondu à mes signaux? Je ne voyais que deux réponses possibles : ou bien il n'avait pas entendu mes coups de feu, ou bien c'était moi qui n'avais pas entendu ses réponses. Bien, mais ensuite?

Tout en fixant le feu, je me dis que Joe, s'il était vivant, était fatalement quelque part dans la forêt, en train de bivouaquer tout comme moi. Mais comment savoir où? Comment trouver son campement? Il était forcément, lui aussi, quelque part à l'abri du vent, et forcément il avait fait un feu : impossible de survivre sans cela. « Bon, et un feu, cela fait de la fumée », me dis-je en regardant la fumée de mon propre feu s'élever en spirale vers le ciel de la nuit. Si seulement je pouvais jeter un coup d'œil par-dessus les arbres! Je pourrais repérer des indices de feu, un filet de fumée peut-être? Si je grimpais en haut d'un grand pin? Mais ce serait plutôt casse-cou, rien de plus glissant que cette neige partout et cette écorce verglacée... Rien ne prouvait, d'ailleurs, que je pourrais grimper assez haut. Les branches de pin, vers le sommet, deviennent très minces, beaucoup trop, à coup sûr, pour supporter mon poids... Mais sur quoi grimper d'autre? Comment prendre une vue d'ensemble de ce coin de la forêt?

Un déclic. Le mirador. La tour antifeu! Ce poste d'observation contre les incendies de forêt, je me souvenais, justement, qu'il y en avait un dans le secteur, parce que Papa avait souligné que c'était plutôt rare, par ici... Il avait été érigé, longtemps auparavant, par une compagnie d'exploitation forestière. Mais où au juste?

J'extirpai fébrilement la carte de mon sac et l'approchai du feu pour pouvoir la lire. Je déterminai de mon mieux ma propre position puis quadrillai les alentours... Victoire! Mon cœur eut un sursaut de joie. Là, sur la carte, cette croix noire entourée de cercles concentriques, c'était la tour de guet! Et pas tellement loin d'ici, sauf erreur...

Je cherchai l'échelle sur la carte pour évaluer la distance, en gros. Cela devait faire, d'après mes calculs, un peu plus de trois kilomètres. Trois kilomètres sans raquettes, à raison d'un kilomètre et demi à l'heure, par là, cela demandait, en gros, deux heures. Parfait. Direction : nord-est, en plein. Vu. Je savais que faire et j'y voyais plus clair; je me détendis franchement...

Le vent soufflait sans relâche par-dessus les murs de mon abri, avec des mugissements de bête féroce et solitaire, peuplant la nuit de fantômes antiques. J'allongeai le bras pour regarnir mon feu, avec ce sentiment de bien-être que donne la certitude d'être en sécurité. Ni les fantômes, ni le vent, ni le gel à pierre fendre ne pouvaient pénétrer dans mon cercle magique, ce cercle de chaleur et de lumière qui me défendrait contre la nuit glacée.

13. La tour de guet

Lorsque je débouchai dans la petite clairière, il me vint au cœur l'impulsion sincère de crier : « Merci. » Là, droit devant moi, s'élançant vers le ciel bleu jusqu'au vertige, venait de surgir ce que je cherchais : la tour de guet. La chance me revenait, exactement comme je l'avais deviné dès mon réveil, le matin même. La première chose que j'avais vue, en ouvrant les yeux, c'était de grands pans de ciel étoilé, à travers la cime des arbres. Le vent avait balayé le ciel, il n'y avait plus un nuage. Le soleil levant, peu après, avait posé sur la neige une lumière éclatante qui jetait des étincelles. C'était comme si les étoiles étaient tombées sur terre, c'était comme de marcher dans une forêt parsemée de diamants. Et ma chance était revenue, puisque j'avais trouvé sans peine la tour de guet. Il n'y avait plus qu'à grimper là-haut...

Ma chance irait-elle jusqu'à me fournir au sommet une longue-vue ou des jumelles? C'était la question que je me posais tout en m'élançant à l'assaut de l'échelle verticale. L'escalade était épuisante, surtout après la longue marche que je venais de faire dans la neige, à travers la forêt. A mi-hauteur environ, je m'accordai une halte et jetai un coup d'œil vers le sol, machinalement, pour voir un peu où j'en étais. Ce n'était sûrement pas la meilleure des choses à faire, et je faillis en tomber à la renverse. C'était bien autre chose que de grimper à un arbre, et autrement impressionnant : il y avait beaucoup trop de vide autour de moi, selon mon gré!

Je poursuivis mon escalade, avec mille précautions. Encore et encore, de plus en plus haut, jusqu'à dépasser la cime des arbres et gagner enfin la plate-forme de bois du sommet. Elle était recouverte d'une épaisse couche de neige, aveuglante sous le soleil. Je m'appuyai à la rambarde pour reprendre mon souffle et jeter un premier coup d'œil circulaire, pour le cas où (sait-on jamais?) le campement de Joe serait facile à repérer. Mais ce n'était pas le cas... La vue, par contre, valait à elle seule le coup d'œil, la multitude de sommets enneigés semblait un océan d'écume blanche et figée.

La compagnie forestière avait bien choisi l'emplacement de sa tour de guet; elle se trouvait là sur le plus haut point que l'on pût trouver à des kilomètres à la ronde, et la vue s'y étendait à une distance inimaginable. Je réalisai soudain combien la région était vallonnée, autour des *Arpents*. Moi, je l'avais toujours crue plutôt plate, mais on voyait bien, de là-haut, combien le manteau d'arbres roulait et ondulait suivant les pentes et les vallées, sur des dizaines de kilomètres apparemment. Je discernai au loin, à travers la forêt, deux entailles bien droites qui devaient être des routes, mais sur lesquelles rien ne circulait. Je réussis à retrouver, vers le sud-est, la ferme Brown et à repérer de place en place, de l'autre côté, couverte de neige, la crête rocheuse qui traversait notre terrain. Mais *Les Arpents* eux-mêmes demeurèrent introuvables.

Cette première inspection ne m'avait révélé ni fumée, ni signe de vie. Cette constatation m'accabla. J'avais espéré mieux, trop peut-être. « Mais tout de même, me dis-je, il doit bien y avoir un feu de camp quelque part, Joe a bien été forcé de faire un feu, et un feu fait de la fumée. » Du calme, donc, et cherchons mieux cette fumée.

Je me mis donc à scruter le paysage attentivement, en me concentrant tout d'abord le long d'une ligne reliant la ferme Brown à l'emplacement supposé des *Arpents*. Puis je refis des yeux le même parcours, mais en balayant cette fois un secteur plus large de chaque côté de cette ligne. Rien. Pas le plus ténu filet de fumée s'élevant dans le ciel sans vent, rien qui vînt se détacher sur la blancheur de la neige. De guerre lasse, je pris la carabine et tirai un plein chargeur. Le vacarme des détonations se répercuta comme le tonnerre sur les collines avoisinantes, mais sans le moindre effet, bien sûr. Je repris mon inspection. A force de rester sans bouger, je sentais revenir les frissons, mais je m'imposai encore dix minutes avant d'abandonner... Tiens! Mais qu'était-ce donc, là-bas, dans le lointain? On aurait dit (vision fugitive) comme une sorte de tremblotement, quelque chose qui serait venu troubler la blancheur immobile... Je concentrai toute mon attention sur ce point suspect, jusqu'à m'en faire mal aux yeux. Mais oui, quelque chose bougeait, une grisaille imperceptible qui apparaissait et disparaissait. Mon cœur battait à tout rompre. C'était dans la bonne direction, mais difficile d'évaluer à quelle distance.

Je tâtonnai dans ma poche pour en sortir la boussole, sans quitter des yeux ce soupçon de fumée; car, j'en aurais mis ma main à couper, il s'agissait bien de fumée, et je ne voulais pas la perdre de vue. Avec le plus grand soin, j'en relevai la position.

Deux heures plus tard, environ, je tombais droit sur le campement de Joe. Il était assis, les jambes allongées, sur une litière de branchages, et il tapait avec un bâton sur une boîte de conserve. C'était d'ailleurs ce bruit de tam-tam, sur les dernières centaines de mètres, qui m'avait dirigé droit sur lui. Il s'était confectionné un mur de neige semblable au mien, à ce détail près que le sien semblait moins haut; mais il avait dû l'être assez pour le protéger du vent de la veille. Son feu, recouvert de bois, fumait en abondance, comme s'il venait d'être regarni et commençait juste à refaire des flammes.

– Ho! salut, Joe! lançai-je en m'approchant, sans chercher à réprimer ma joie. Depuis quand un grand fou d'Indien de ma connaissance s'amuse-t-il à camper dehors par un temps pareil?

Il n'avait pas l'air d'aller fort, et pourtant son visage s'éclaira d'un immense sourire et il me retourna le compliment :

– Ho! salut, John! Depuis quand un jeune blanc-bec de Visage pâle se balade-

t-il sans raquettes par un temps pareil?
– Sans raquettes? C'est toute une histoire. Mais parlons d'abord de toi. Tu es blessé, je m'en doutais. C'est grave?

Il me conta son épopée, par bribes, lentement... Lorsqu'il était arrivé chez Brown, vers le milieu de l'après-midi, pour se heurter à une ferme déserte et à une porte close, il lui avait fallu délibérer longuement avant de se résoudre à y pénétrer de force. Si bien qu'il était déjà tard lorsqu'il avait enfin pris le chemin du retour. Oh! Joe ne m'expliqua pas de manière aussi précise la raison de son retard, mais je le devinai à ses silences. Bref, là-dessus, la nuit était tombée alors qu'il n'en était encore qu'à mi-parcours. Seulement, au lieu de s'arrêter et de s'improviser un campement de fortune, comme il savait parfaitement que c'était la sagesse, Joe avait voulu continuer, dans l'obscurité, parce qu'il se faisait trop de souci pour nous et ne voulait pas nous laisser seuls. Pour commencer, il s'était déporté un peu trop vers le nord sans s'en apercevoir; mais cela n'était pas trop grave : tôt ou tard, il aurait rencontré la crête de rochers, qu'il lui aurait suffi de suivre pour retomber sur *Les Arpents*... Malheureusement, pour finir, cette nuit sans lune et sans étoiles avait eu le dernier mot : la raquette de Joe s'était prise sous une branche morte, et il était tombé de tout son poids sur sa jambe en porte-à-faux.

– Elle est cassée, me dit-il simplement.

Mais j'imaginais sans peine au prix de quelles tortures il avait dû se traîner pour établir son campement et ramasser du bois pour le feu. J'arrachai de mes mains, en toute hâte, la double couche de gants et de moufles que j'avais enfilés pour plus de confort, après avoir fait sécher le tout auprès de mon feu, et je remontai sa jambe de pantalon pour jeter un coup d'œil sur la blessure. N'y connaissant pas grand-chose, je ne pouvais rien en dire, mais je pus constater qu'elle était enflée.

– Peut-être qu'on pourrait te mettre des attelles, je ne sais pas trop, bref, quelque chose pour maintenir ta jambe bien droite. Et on tâcherait de rentrer vite à la maison...

– Réchauffe-toi d'abord, dit Joe en me montrant le feu avec la pointe de son bâton. Moi, je vais tailler ces attelles, et tu pourras me les fixer.

Son couteau était attaché, bien serré, au bout d'un solide bâton, et je regardai Joe défaire la ficelle de cet étrange dispositif :

– Pourquoi avais-tu bricolé ça? lui demandai-je, intrigué.

– A cause des chiens sauvages. Il y en a des bandes qui se baladent dans le secteur. C'était le seul moyen de me défendre si jamais ils m'attaquaient. J'ai eu de la veine : ils ne sont pas venus.

– Ne te tracasse pas pour les chiens sauvages, lui dis-je.

Et je lui racontai nos démêlés avec eux. Il m'écouta, impassible, et eut un grand hurlement de rire pour l'épisode du fusil vide.

– Et après, dit-il d'une voix faible, tu t'es lancé à ma recherche?

– C'est ça, dis-je. Tu m'as entendu tirer des coups de feu, pour signaler ma présence?

– Tu parles si je t'ai entendu! s'écria Joe,

la voix vibrante d'une indignation feinte. Bien sûr que je t'ai entendu, qui gaspillais toutes mes cartouches. Tu crois que ça pousse dans les arbres? Oui, je t'entendais envoyer en l'air toute ma pauvre fortune, et ça me faisait encore plus mal que ma jambe!

– Pourquoi ne répondais-tu pas, alors?

– Mais je répondais! Tu peux me croire, dit-il en désignant avec son couteau les boîtes de conserve cabossées. Mais les Visages pâles ont de pauvres oreilles, ils ne savent pas entendre.

J'éclatai de rire :

– Ou bien les Peaux-Rouges n'ont pas de force dans les bras, ils ne savent pas faire du bruit!

Il avait fini de tailler quatre éclisses improvisées, et je m'éloignai du feu pour venir les attacher à sa jambe. Je poursuivis mon propre récit tout en jouant les infirmiers, de mon mieux, au moyen de ces bouts de bois et des lanières de cuir de ma défunte raquette. Le visage de Joe s'assombrit lorsque j'en arrivai à l'épisode de la ferme Brown, et au détail des serrures forcées et hâtivement rafistolées.

– Ah! je n'ai pas fait ça de gaieté de cœur, dit-il.

Je sentais qu'il avait peine à en parler, tant ce souvenir lui répugnait.

– Tu comprends, en même temps, je me sentais coupable, et j'étais furieux de me sentir coupable. Je ne voulais pas entrer de force chez un Blanc, mais ç'aurait été de la folie pure que de revenir les mains vides. Et j'étais furieux de ne pas arriver à me décider. Il faisait froid, c'était trop bête. Si ç'avait été chez des Indiens, tu comprends, je n'aurais même pas hésité...

– Je comprends, lui dis-je en le regardant bien franchement. Mais tu sais, j'ai éprouvé exactement la même chose. Même maintenant, je n'aime pas trop penser à ce que j'ai fait. C'est pour ça, d'ailleurs, que j'ai ajouté mon nom au tien, au bas de ton petit billet.

Il fronça le sourcil :

– Qu'est-ce qui t'a pris? Ce n'était pas la peine.

– Je t'ai dit pourquoi : je me sentais comme un cambrioleur, moi aussi. Mais finalement, tu vois, je crois qu'on a fait ce qu'il fallait faire, tu ne crois pas? Et j'en suis content. Pas toi? Dis-moi que si...

Le sombre regard de Joe resta plongé dans le mien l'espace d'un instant encore, puis son visage se détendit et il sourit :

– Oui, dit-il. Je suis content. Je suis content que tu sois mon ami. C'est tout et ça suffit. Ne discutons donc pas.

– Ne discutons donc pas, répétai-je solennellement. Nous avons mieux à faire : regagner *Les Arpents* (le meilleur des campements) et faire un grand festin de retrouvailles! Digne de Gargantua! Digne de Paul Bunyan!

14. Le festin de retrouvailles

Ce fut un heureux retour. Le ciel était d'un bleu intense, d'une profondeur infinie, la neige étincelait à vous en faire pleurer les yeux, et le soleil, incroyable mais vrai, avait dans ses rayons un je ne sais quoi de tiède et de caressant. Comme nous approchions de la maison, Joe tint à marquer une halte pour annoncer notre arrivée d'une joyeuse canonnade.

David et Paula se ruèrent à notre rencontre et j'avoue que, même tardive, leur aide tombait à pic. Je n'en pouvais plus. Ç'avait été une rude épopée que ce retour, toujours sans raquettes, bien sûr, mais avec en plus un lourd sac à traîner et Joe à soutenir!

A la maison, Paula s'empressa auprès de Joe, tandis que David et moi déchargions sur la table le contenu du sac. David avait le regard luisant à la seule vue de toute cette nourriture, et je m'attendais à le voir, d'un instant à l'autre, éventrer une boîte de n'importe quoi et en déverser le contenu dans son gosier sans autre formalité. Je le savais très bien : je me retenais moi-même de le faire!

Du pain, du jambon en boîte, des fruits au sirop, du potage, des œufs, deux poulets surgelés. David brandit bien haut, hilare et triomphant, deux paquets de bacon en tranches :

– Du bacon! Hourra! Henry peut dormir sur ses deux oreilles!

En fourrageant plus profond dans le sac, j'en sortis une demi-douzaine de petites boîtes de haricots cuisinés. Des haricots! Le recommencement des haricots! Mon estomac exécuta une petite danse d'allégresse, rien qu'à les voir sur l'étiquette. Des pommes, du café, des pommes de terre. Nous n'arrêtions pas de glousser de joie tout en inventoriant les inépuisables ressources de ce sac à merveilles, et je me fis la réflexion que j'avais eu raison, la veille : oui, c'était vrai, décidément, la faim changeait votre façon de voir les choses. Tout ce déballage, finalement, ce n'était jamais que l'image banale d'un approvisionnement ordinaire et, en temps ordinaire, je ne lui aurais pas accordé un regard. Alors que là, nous en tremblions de joie, plus émoustillés que si nous vidions la hotte du père Noël!

En moins de temps qu'il n'en faut pour le dire, le poêle à bois ronflait avec ardeur, le couvert était mis et toutes sortes de bonnes odeurs flottaient dans l'air, la plus délicieuse combinaison de fumets divers qu'il m'eût été donné de respirer. David et moi ne cessions de humer voluptueusement, ici, puis là, le contenu des différentes casseroles, avec des efforts héroïques pour ne pas y faire de prélèvements prématurés.

Joe entrait, lourdement appuyé sur l'épaule de Paula. Tous deux rirent de bon cœur de nos mimiques gourmandes.

– Mesdames et Messieurs, veuillez prendre place, les invitai-je d'un ton stylé. Soyez les bienvenus au grand festin de Paul Bunyan.

Chacun fit l'effort, louable, de ne pas se jeter sur la nourriture, mais d'attendre que tout le monde fût assis et servi.

– Je crois qu'une action de grâces n'aurait rien de déplacé, dis-je lorsque chacun eut son assiette pleine. Seigneur, nous te disons *vraiment* merci pour ce repas que nous allons prendre...

– Amen, reprit notre petit groupe dans un élan sincère.

Et puis chacun mangea, mangea, mangea, avec application et méthode.

Après quoi, heureux et repus, nous étions en train d'échanger nos récits lorsque la sonnerie du téléphone nous fit tous sursauter. Paula se précipita pour répondre. La conversation fut longue. Enfin Paula revint, un grand sourire aux lèvres.

– C'était Maman, dit-elle. Ça y est, ils reviennent. Ils suivent le chasse-neige qui déblaye la route. Elle a dit qu'ils

seraient là d'ici une heure ou deux.
– Tu lui as dit ce qui nous est arrivé? demanda David.

Paula fit non de la tête :

– J'ai seulement dit que tout allait bien. Je crois que ç'aurait été beaucoup trop long à raconter, par téléphone!

– Le chasse-neige! me lamentai-je. Retour à l'école dès demain. Retour chez Pousse-Coude. Enfer et damnation! Horreur et putréfaction!...

Mais David, d'une grande tape dans le dos, coupa court à ma complainte.

– Remets-toi, mon vieux! Tu divagues : tu sais quel jour on est? Vendredi! Et le trimestre finit ce soir. Demain, c'est les vacances de Noël!

– Ouèèèèèèèais! hurlai-je en sautant sur place, tandis que ma pensée, elle, bondissait d'une idée à l'autre pour faire le compte des bonheurs à venir.

Des arpents et des arpents de neige toute neuve, le patinage sur le ruisseau gelé, des feux de joie sur la glace, des pommes de terre cuites sous la cendre par une nuit étoilée, Noël et sa veillée, Noël et la dinde, plus de Pousse-Coude à l'horizon – pour quelque temps, du moins, celui des vacances de Noël. Ou peut-être même (qui sait?) un peu plus longtemps encore? Après tout, c'est vrai, ce n'est pas une blague, cette histoire de « zone à enneigement intense »!

Table des matières

225 **Sycomore du petit peuple**
par Andrée Malifaud

Sycomore et sa famille sont les derniers représentants du Petit Peuple. Pas plus hauts qu'une main, ils habitent un terrier de souris, dans la maison d'une vieille dame. Un jour, la maison est vendue. Sycomore, le musicien prodige, rencontre les enfants des nouveaux propriétaires eux aussi musiciens, et c'est le début d'une merveilleuse aventure...

226 **Chien perdu**
par Marilyn Sachs

Je ne me souvenais plus de mon oncle ni de ma tante. Bien qu'ils m'aient accueillie gentiment, je ne me sentais pas chez moi dans leur appartement tout blanc. L'ennui, c'est que je n'avais nulle part où aller. Mes parents étaient morts. Personne d'autre ne voulait de moi. Et quand j'ai retrouvé Gus, le chien de quand-j'étais-petite, les choses se sont encore compliquées...

227 **Mon pays sous les eaux**
par Jean-Côme Noguès

Juillet 1672, Peet quitte la maison familiale pour se placer comme garçon d'auberge. La Hollande est paisible quand tout à coup, c'est la nouvelle : Louis XIV envahit le pays... Un soir, Peet monte un pot de bière à un étrange voyageur. Qui est-il ? Quel est son secret ? Quand le jeune homme l'apprendra, il en frémira...

228 **Lucien et le chimpanzé (senior)**
par Marie-Christine Helgerson

Dans un village près de Mâcon vivent le Grand-père et Lucien, un garçon de neuf ans dont les yeux immenses ignorent les gens et que tous appellent « la bête ». Au château, deux jeunes professeurs s'installent pour tenter une expérience : communiquer par gestes avec un chimpanzé. Et si, au contact du singe, Lucien apprenait à parler avec les gens... ?

229 **Anna dans les coulisses**
par Besty Byars

Anna ne monte jamais sur la scène. C'est dur de chanter faux dans une famille de choristes ! Anna se sent rejetée, exclue. Un jour, un oncle oublié, tout juste sorti de prison, surgit dans la vie des Glory. Grâce à lui, et à la suite d'un drame, Anna va prendre confiance en elle.

230 **Un poney pour l'été**
par Jean Slaughter Doty

Ginny est prête à pleurer. Elle qui a toujours rêvé d'avoir un poney, voilà que le seul qu'elle peut louer pour l'été est une drôle de petite jument, à moitié morte de faim. Mais à force de soins et d'affection, le poney prospère et transforme des vacances qui promettaient d'être décevantes, en un merveilleux été.

231 **Mélodine et le clochard**
par Thalie de Molènes

Un clochard sort de l'ombre, se penche sur la vitrine éclairée de la librairie et lit passionnément un ouvrage d'astronomie... Il reviendra chaque jour et sa présence insolite servira de révélateur aux habitants de l'immeuble, en particulier à Mélodine et à Florence sa grand-mère qui l'a élevée...

232 **Personne ne m'a demandé mon avis**
par Isolde Heyne

Inka vit dans un foyer pour enfants en R.D.A. A l'occasion de son dixième anniversaire, elle exprime deux souhaits : avoir des parents adoptifs et être admise à l'École de sport. Un jour, dans la rue, une femme l'aborde à la dérobée, et lui annonce que sa mère, qu'elle croyait morte, vit en R.F.A. Loin de la réjouir, cette révélation inquiète Inka qui craint que sa vie n'en soit bouleversée.

Cet
ouvrage,
le vingt et
unième
de la collection
CASTOR POCHE,
a été achevé d'imprimer
sur les presses de l'imprimerie
Brodard et Taupin
à La Flèche
en septembre
1988

Dépôt légal : 2e trimestre 1981.
N° d'Edition : 15823. Imprimé en France
ISBN : 2-08-161724-2
ISSN : 0248-0492